A INTELIGÊNCIA
DO SÉCULO

PYERO TAVOLAZZI

A INTELIGÊNCIA DO SÉCULO

Desperte o **PODER** infinito que há em você e alcance **PROSPERIDADE** e **PAZ** em sua vida

Rio de Janeiro, 2021

A Inteligência do Século

Copyright © 2021 da Starlin Alta Editora e Consultoria Eireli.
ISBN: 978-65-5520-602-9

Todos os direitos estão reservados e protegidos por Lei. Nenhuma parte deste livro, sem autorização prévia por escrito da editora, poderá ser reproduzida ou transmitida. A violação dos Direitos Autorais é crime estabelecido na Lei nº 9.610/98 e com punição de acordo com o artigo 184 do Código Penal.

A editora não se responsabiliza pelo conteúdo da obra, formulada exclusivamente pelo(s) autor(es).

Marcas Registradas: Todos os termos mencionados e reconhecidos como Marca Registrada e/ou Comercial são de responsabilidade de seus proprietários. A editora informa não estar associada a nenhum produto e/ou fornecedor apresentado no livro.

Impresso no Brasil — 1ª Edição, 2021 — Edição revisada conforme o Acordo Ortográfico da Língua Portuguesa de 2009.

Erratas e arquivos de apoio: No site da editora relatamos, com a devida correção, qualquer erro encontrado em nossos livros, bem como disponibilizamos arquivos de apoio se aplicáveis à obra em questão.
Acesse o site www.altabooks.com.br e procure pelo título do livro desejado para ter acesso às erratas, aos arquivos de apoio e/ou a outros conteúdos aplicáveis à obra.

Suporte Técnico: A obra é comercializada na forma em que está, sem direito a suporte técnico ou orientação pessoal/exclusiva ao leitor.

A editora não se responsabiliza pela manutenção, atualização e idioma dos sites referidos pelos autores nesta obra.

Produção Editorial
Editora Alta Books

Gerência Comercial
Daniele Fonseca

Editor de Aquisição
José Rugeri
acquisition@altabooks.com.br

Produtores Editoriais
Maria de Lourdes Borges
Thales Silva
Thiê Alves

Marketing Editorial
Livia Carvalho
Gabriela Carvalho
Thiago Brito
marketing@altabooks.com.br

Equipe de Design
Larissa Lima
Marcelli Ferreira
Paulo Gomes

Diretor Editorial
Anderson Vieira

Coordenação Financeira
Solange Souza

Produtor da Obra
Illysabelle Trajano

Equipe Ass. Editorial
Brenda Rodrigues
Caroline David
Luana Rodrigues
Mariana Portugal
Raquel Porto

Equipe Comercial
Adriana Baricelli
Daiana Costa
Fillipe Amorim
Kaique Luiz
Victor Hugo Morais
Viviane Paiva

Atuaram na edição desta obra:

Revisão Gramatical
Fernanda Lutfi
Gabriella Araujo

Layout | Diagramação
Joyce Matos

Dados Internacionais de Catalogação na Publicação (CIP) de acordo com ISBD

T234i	Tavolazzi, Pyero	
	A Inteligência do Século: Desperte o poder infinito que há em você e alcance prosperidade e paz em sua vida / Pyero Tavolazzi. - Rio de Janeiro, RJ : Alta Books, 2021.	
	216 p. ; 16cm x 23cm.	
	Inclui bibliografia.	
	ISBN: 978-65-5520-602-9	
	1. Autoconhecimento. 2. Inteligência. 3. Prosperidade. 4. Paz. 5. Vida. I. Título.	
2021-2630		CDD 150.1943
		CDU 159.9.019.4

Elaborado por Vagner Rodolfo da Silva - CRB-8/9410

Ouvidoria: ouvidoria@altabooks.com.br

Editora afiliada à:

Rua Viúva Cláudio, 291 — Bairro Industrial do Jacaré
CEP: 20.970-031 — Rio de Janeiro (RJ)
Tels.: (21) 3278-8069 / 3278-8419
www.altabooks.com.br — altabooks@altabooks.com.br

Quero dedicar este livro aos meus pais,

Miguel Tavolazzi e Lucia da Silva Tavolazzi,

que me ensinaram os maiores valores da vida
e me deram uma educação ímpar.

Valores inegociáveis que um homem de valor precisa ter.

Sem esta base que aprendi na infância e adolescência
eu teria me perdido e não estaria aqui agora.

Pai e mãe, amo vocês e vocês foram

a fonte de inspiração para tudo

que construí na minha vida.

SUMÁRIO

XII Apresentação
LIGANDO OS MOTORES:
UMA TRAJETÓRIA EM BUSCA DE PROPÓSITO

1 Introdução
OS PRIMEIROS ANOS DIFÍCEIS

18 CAPÍTULO 01
**A BATALHA ENTRE O ESPÍRITO E
A CARNE** — *QUEM É VOCÊ E ONDE VOCÊ ESTÁ?*

46 CAPÍTULO 02
MÉTODO SOU — *A ESTRATÉGIA PARA FORTALECER
O SEU RELACIONAMENTO ESPIRITUAL*

82 CAPÍTULO 03
O SALTO — *PARA A VERDADEIRA EVOLUÇÃO*

112 CAPÍTULO 04
A CHAVE DA PROSPERIDADE
— *SUA IDENTIDADE ESPIRITUAL?*

140 CAPÍTULO 05
AS VIRTUDES DO ESPÍRITO
— *SUPERAÇÃO E O PODER DA SUA PALAVRA*

162 CAPÍTULO 06
OS SUPERPODERES DO ESPÍRITO
— *PODEM MUDAR SUA ATMOSFERA*

190 **TENHO UM PRESENTE
ESPECIAL PARA VOCÊ!**

Aviso:

Para visualizar o conteúdo extra, acesse os QR Codes ao longo do livro ou busque pelo ISBN e/ou título no site da editora.

Os conteúdos extras oferecidos nesta obra são de responsabilidade única e exclusiva do autor.

Quero agradecer primeiramente ao

Espírito Santo que a cada dia me enche de sabedoria.

Agradeço também à minha irmã, que desde a infância foi minha melhor amiga e hoje é CEO nas empresas, me dando liberdade e segurança para cumprir esta missão.

Agradeço à minha mentora espiritual que não se faz mais presente,

Lígia Marques, que me ensinou o poder de uma oração e, mais do que isso, me ensinou a ter disciplina diária na oração, o que fez toda diferença na minha vida. Ela dizia: Pyero, você precisa orar mais; Pyero, você precisa orar todos os dias;

Pyero, você precisa ter intimidade com Jesus; Pyero, você precisa alimentar seu espírito todos os dias, pois Jesus tem ciúmes e saudade de você.

Agradeço também ao meu mentor, João Marques, o marido da sra. Lígia, que até hoje me cobre de orações e me ensina constantemente sobre as chaves do reino.

E um agradecimento especial a Regiane Marques que me cobre diariamente de orações.

SOBRE O AUTOR

Pyero Tavolazzi é multiempreendedor, evangelista, mentor, presidente da Holding DTS Group e criador do Nitro10X, o maior evento de crescimento exponencial da América Latina. Além disso, é fundador do aplicativo Meditorando da Comunidade FreeDOM.

Considerado hoje um dos maiores empresários de desenvolvimento humano do Brasil, Pyero é responsável por trazer as principais autoridades do mercado de empreendedorismo e alta performance mundial para o país.

Com o objetivo de compartilhar conhecimentos, propor novas práticas e soluções inovadoras de negócios, Pyero reúne empresários de todo o mundo. Mais de 5 milhões de pessoas impactadas em mais de 20 países. Esse alcance se dá justamente por promover grande crescimento espiritual e pessoal e o aumento da performance em todas as áreas de suas vidas em até 10X mais.

Para mais informações, acesse:

▶ Pyero Tavolazzi   f @tavolazzipyero

◉ @pyerotavolazzi   ◉ @nitro10x

Acesse:
inteligenciadoseculo.com/livro

APRESENTAÇÃO

LIGANDO OS MOTORES: UMA TRAJETÓRIA EM BUSCA DE PROPÓSITO

O livro que lerá neste momento é um reflexo vivo de tudo o que passei na vida, incluindo obstáculos, desafios e, sobretudo, como superei cada um deles. Minha intenção não é escrever minha história, mas a partir dela extrair as lições e os aprendizados que transformaram minha vida e que, acredito, poderão transformar a sua.

Como você verá, este livro é um retrato de uma conexão espiritual muito forte, aqui apresentada com conceitos, mensagens e um método muito poderoso que certamente trará prosperidade, poder, paz e plenitude para sua vida. Assim como as *lives* que faço diariamente com mais de 2 mil pessoas — e também junto com outras atividades de mentoria e treinamento que desenvolvo em minha empresa —, este livro é parte essencial do meu propósito, que consiste em despertar pessoas e ajudá-las a crescer 10X mais se conectando com Jesus de modo que governem e suas casas sejam uma extensão do Reino aqui na terra, conquistando prosperidade, poder e paz por meio de seu próprio propósito.

Mas, antes de falar disso e de apresentar meu Método — que é a ferramenta que lhe ajudará a encontrar seu propósito —, vou contar um pouco de minha experiência e trajetória e de como encontrei o meu propósito.

Vamos lá!

INTRODUÇÃO

OS PRIMEIROS ANOS DIFÍCEIS

Nasci na cidade de São Paulo (SP), no seio de uma família humilde, tendo uma infância muito simples. Nossa família não tinha muitos recursos, vivíamos das doações que recebíamos de meus avós, de alguns tios, primos e até de uma madrinha, que muito nos ajudou. Eu me lembro como se fosse hoje dos muitos dias em que tudo o que tínhamos em casa para comer era arroz com limão. Tem um episódio, que aconteceu comigo na escola quando eu tinha 6 anos de idade, que ilustra bem como foi esse período. Durante o recreio, um amiguinho estava comendo aquelas batatinhas de cebola e salsa da Elma Chips, e me lembro de ter pedido algumas e de ele ter se negado a me dar — coisa de criança, é claro. Porém, aquilo me magoou bastante. Cheguei em casa naquele dia chorando, e disse aos meus pais que estava com vontade de comer aquilo, mas eles infelizmente não tinham condições de comprar sequer um pacote de batatinhas. Demorou meses para meu pai conseguir comprar um pacote como aquele. Me lembro perfeitamente de quando isso aconteceu, do que senti, da alegria, da sensação de fartura, e da satisfação de poder comer sozinho um pacote inteiro de batatinhas!

Além dessas dificuldades, o clima familiar também não era muito amistoso. Nós morávamos em Vila Nova Cachoeirinha, na rua Nove de Novembro (na periferia), ao lado de uma tia e, por conta dessa proximidade e das dificuldades que tínhamos, nossas relações eram muito ruins. Como você pode imaginar, quando há falta de recursos, as desavenças são quase inevitáveis. Nessa época, tínhamos muitas brigas e discussões dentro de um ambiente de escassez bastante complicado. Por conta desses episódios, minha madrinha ofereceu uma casa que era dela e estava desocupada. Pudemos então nos mudar, passando a morar em Jardim São Paulo, um bairro da Zona Norte da cidade de São Paulo, na casa que ela havia nos emprestado de favor. Ficamos em Jardim São Paulo até eu completar 9 anos, quando minha família decidiu se mudar para Caraguatatuba (SP), onde havia alguma chance de as coisas melhorarem um pouco. Isso de fato aconteceu, no começo, quando começamos a ter um pouco de fartura na mesa, e as condições gerais começaram a melhorar. Mas mesmo assim isso ainda era muito restrito. Por exemplo, eu não pude ter uma bicicleta, não conseguia coisas simples, como ter uma bola nova, não tínhamos aquela coisa de sair para comprar roupas, nada disso. Tudo se restringia a ter o que comer. Isso era importante, sem dúvida. Contudo, como você sabe, está longe de satisfazer as necessidades do ser humano. **Vivíamos, portanto, no limite.**

Nesse ponto, começou a acontecer comigo aquilo que é praticamente inevitável na vida de qualquer pessoa. Você não está sozinho no mundo. Seus sonhos, muitos deles pelo menos, se projetam a partir daquilo que está a sua volta. Por exemplo, nesse período, eu comecei a confrontar minha realidade, bastante precária, com aquela que estava ao meu lado. Comecei a me perguntar por que outros meninos e adolescentes tinham coisas que eu não tinha; por que os pais deles conseguiam dar aquelas coisas (brinquedos, roupas, passeios etc.) a eles, mas meus pais não conseguiam. Por que alguns deles tinham bicicleta e eu não tinha — ou videogame, celular, enfim, por que eu não poderia também ter aquelas coisas?

Para um garoto, eram questões simples, mas essenciais para compreender o mundo.

Seus sonhos, muitos deles pelo menos, se projetam a partir daquilo que está a sua volta.

Nossa situação, como eu disse, não era das melhores, muito pelo contrário. As dificuldades realmente eram imensas, e para manter aquele mínimo de fartura na mesa meus pais tinham de fazer enormes sacrifícios. Eu vivi minha adolescência nesse cenário, percebendo todas essas diferenças e meio sem saber o que fazer para mudar aquilo, mudar aquela situação.

Com cerca de 13 anos, ganhei a minha primeira bicicleta grande. Eu cuidava dela como se fosse um carro. Dos 13 aos 17 anos eu jogava futebol pela escola e consegui uma bolsa integral, mas sentia que precisava fazer alguma coisa grande pelos meus pais. Quando fiz 19 anos, já estava no primeiro semestre da faculdade de administração, porém decidi abandonar tudo, sair da casa dos meus pais, deixar Caraguatatuba, e me mudar para São Paulo. Saí de lá com um único objetivo: mudar a vida dos meus pais. Veja, não era nem a minha vida que eu estava querendo mudar, em primeiro lugar. O que eu mais queria era ajudar os meus pais e dar a eles uma vida digna. Eu me lembro de ter tido uma conversa muito difícil e emocionante com eles, em que disse que estava indo para uma guerra, e que só voltaria de lá quando estivesse pronto e com condições de tirá-los daquela situação. Enfim, eu só voltaria para buscá-los.

Naquele momento, descobri algumas coisas bastante interessantes. Por exemplo, o "querer mudar de vida" não é suficiente para você mudar de fato! Querer, todo mundo quer. Alguns até chegam a se movimentar, tomam o caminho, mas desistem no meio. No meu caso, porém, aconteceu algo que só recentemente me dei conta, e que explica um pouco o que aconteceu. Quando eu saí da casa dos meus pais, disse a eles o seguinte: "Eu só volto aqui para buscar vocês!" Ou seja, eu só voltaria quando de fato tivesse condições para tirá-los de lá. Quando disse isso, me comprometi com eles, e ao mesmo tempo empenhei minha vida a esse compromisso. Isso é diferente de apenas "querer fazer algo". É como se você fizesse uma aliança consigo mesmo, e se dedicasse a cumprir aquela promessa. Você dá a sua palavra, e esse comprometimento faz com que sua vida mude, indo para um novo nível, o nível de alcançar esse objetivo. O detalhe, que talvez tenha tornado todo esse movimento ainda mais forte, é que eu havia me comprometido em mudar a vida deles, assumindo assim a responsabilidade por aquela tarefa.

E eu consegui. Mas não foi fácil, como você vai ver.

Você se Prepara para a Luta, e a Batalha não Acontece

Cheguei em São Paulo com uma mala nas costas, sem dinheiro no bolso, sem emprego, sem perspectiva, com um sonho e um compromisso na cabeça e no coração. Fui morar de favor na casa de uma amiga, por conta da indicação de um amigo comum. Era um apartamento pequeno, onde eu dormia no chão, no mesmo quarto desse meu amigo. Dividíamos o que era possível, porque de fato não tínhamos muito o que dividir, a não ser nossa amizade. Durante três anos, mais ou menos, eu fiquei nesse apartamento. E nesse período eu fiz tudo o que era possível para sobreviver. Trabalhei como segurança, como *barman*, como entregador de jornal na madrugada, como comprador e vendedor de flores, como promotor de eventos, como cantor, como modelo; enfim, passei por uma infinidade de áreas e setores, o que me possibilitou aprender muito, mas muito mais do que poderia imaginar até então. E isso foi bom, apesar de duro e difícil. Eram trabalhos temporários, sob encomenda, sem estabilidade alguma, e o tempo todo correndo risco de perder o pouco que ganhava.

Havia nisso tudo uma nota melancólica, de tristeza mesmo. Eu percebia que fazendo tudo o que fazia, por mais que me esforçasse, eu não conseguiria cumprir o compromisso que havia assumido com meus pais. Se o dinheiro que eu ganhava mal dava para cobrir minhas próprias despesas, que eram mínimas, imagine então como poderia juntar alguma coisa para buscar meus pais em Caraguatatuba! Além disso, eu trabalhava em condições muito precárias, às vezes desumanas, ganhando quantias que mal davam para me alimentar. Ou seja, tinha dias que eu não tinha a menor vontade de sair do chão do apartamento em que morava. Sim, isso mesmo: entusiasmo zero, vontade de enfiar a cabeça na terra e sumir.

Mas eu não podia desistir, eu tinha um compromisso. Havia dado a minha palavra e de alguma forma eu teria de cumprir o que prometera.

Bem, o que fazer? A minha motivação sempre foram os meus pais. Então colei uma fotografia deles na porta do guarda-roupa que ficava em frente ao lugar onde dormia, de modo que quando acordava a primeira coisa que eu via era a foto deles, e aquilo me contagiava, me motivava e me dava forças para levantar e ir à luta. Isso foi interessante, porque houve dias que, quando não conseguia levantar por mim mesmo, pelo Pyero, eu me levantava por eles, pelos meus pais, e ia à luta por eles. Aqui vai uma lição: **Quando não tiver força por você mesmo, faça por quem você mais ama ou faça pelas pessoas que precisam de você.**

Eu havia resolvido o problema de me levantar, de sair cedo de casa e procurar o que fazer. Já era alguma coisa, mas isso, por si só, não resolvia as dificuldades. Conseguir trabalho e permanecer nele eram tarefas muito difíceis.

A Primeira Virada

Nesse período que fiquei no apartamento, eu almoçava dentro daquele programa do governo chamado "Bom Prato", em que a pessoa paga um real para comer. Havia um desses restaurantes quase em frente ao prédio em que eu morava. Eu ia para a fila às 10h30 da manhã, e quando eram mais ou menos 11h eu entrava no restaurante. Pegava a fila das bandejas, eles serviam o meu prato e eu ia para a mesa. Sentava-me ao lado de andarilhos, mendigos, pessoas simples, pobres, muitas delas desesperançadas. Teve um dia que eu não consegui mais fazer isso. Lembro como se fosse hoje dessa última vez em que peguei meu prato, sentei-me, abaixei a cabeça e comecei a chorar.

Eu não estava conseguindo realizar a minha missão. Esse era o fato. As coisas pelas quais eu havia me proposto a lutar não estavam acontecendo. Esse é um lado cruel das decisões. Você se prepara para a luta, para vencer, chega a estar pronto, mas a batalha não começa, não acontece. E você, então, volta para casa à noite, abatido, sentindo-se derrotado.

Nesse dia em que chorei em cima do meu prato de comida, saí de lá, andei uns dois quarteirões e encontrei uma igreja pequenininha no caminho. Entrei nela. Tudo estava em silêncio. Não havia ninguém dentro. Me sentei num banco, depois me ajoelhei, e tive ali a minha primeira experiência espiritual. Uma experiência espiritual com Jesus.

Levantei minhas mãos e disse:

> "Pai, eu não estou conseguindo seguir meu caminho, não tenho forças para continuar, não tenho mentores, não tenho amigos, não tenho ninguém e estou sozinho aqui. Eu entrego minha vida, meus planos e meus sonhos em tuas mãos, e gostaria que você segurasse as minhas, gostaria que a partir de hoje fôssemos eu e você, juntos, contra o rapa toda (foi o termo que usei, querendo dizer que precisava dele para enfrentar todos aqueles obstáculos). E, aonde eu for, irei falar que foi o senhor que me sustentou."

Depois que disse isso, exatamente com essas palavras, eu senti como se uma força sobrenatural pairasse sobre mim, sobre o Pyero, de forma que me senti como se estivesse sendo energizado. Tempos depois, eu compreendi que naquele momento eu estava recebendo uma força espiritual, que já não era mais a força da mente e nem a força física do Pyero. Ao mesmo tempo que senti essa nova energia, senti também um imenso conforto na alma, um conforto no espírito, algo que tocava profundamente o meu coração. E, sobretudo, a sensação de que eu não estava mais sozinho. E mais, a sensação de que eu, afinal, poderia contar com alguém, e que esse alguém era muito maior e mais capaz de me ajudar. Eu não sabia na época como aquelas coisas estavam acontecendo, e nem como eu poderia ser ajudado, mas foi uma das coisas mais concretas e impressionantes que aconteceram na minha vida.

Dez dias depois desse episódio, recebi uma proposta para trabalhar numa agência de eventos. Foi a primeira proposta concreta de trabalho que eu recebi até então, depois de quase três anos de luta e amargura. Nesse período, eu estava fazendo eventos para uma empresa, ganhando 140 reais por noite, trabalhando 12 horas, um turno cheio, onde eu era o primeiro a chegar e o último a sair. A dona da agência estava lá nesse dia e me chamou para dizer: "Você é diferenciado, e gostaria de dar uma oportunidade para você trabalhar comigo."

Entrei nessa agência como estagiário, sem saber enviar um e-mail. Seis meses depois eu já era promotor, e em mais seis meses fui promovido a diretor. Fiquei nessa agência por quatro anos. Foi uma escola para mim, aprendi tudo o que sei hoje sobre promoção, eventos, marketing, atendimento, vendas etc.

O que mudou em minha vida?

O mais importante foi que, depois daquele dia em que eu tive a minha primeira experiência espiritual, eu comecei a me conectar com Deus todos os dias, fazendo disso uma rotina, algo permanente. A partir disso, tudo mudou e aconteceu em minha vida. Logo pela manhã, eu entrava no meu quarto secreto, que é o seu próprio jeito, ou o jeito de cada um, de falar com Jesus, abria o meu coração e conversava com ele, o chamava para estar comigo ao longo do dia, para me apoiar, me abençoar e iluminar o meu dia.

Um Novo Passo

Depois de quatro anos naquela agência, eu decidi sair de lá. Eu tinha um ótimo salário, tinha um cargo de liderança, conhecia perfeitamente o negócio, e não tinha mais para onde crescer ali. Porém, eu tinha um sonho: o de trazer meus pais para São Paulo e entregar a eles uma vida extraordinária, algo que nunca tivemos. Planejei a saída da empresa, e comecei, nesse período, a intensificar minha comunhão com Deus e minhas orações. Eu pedia orientação, ajuda, serenidade e a companhia dele ao meu lado. E teve um dia em que ele me revelou o que pensava, ao dizer:

> "Se você ficar nessa empresa, você vai ser abundante, crescerá e poderá até se tornar sócio desse negócio. Mas, se você sair, você será livre, eu serei seu sócio, e não haverá limite para você."

Quando tomei a decisão de sair da empresa, avisei à direção e disse a eles que dali a seis meses deixaria a agência, e que gostaria de preparar alguém para ficar no meu lugar. Na época, ninguém acreditou que eu faria aquilo, não me deram crédito e levaram aquilo como se fosse um blefe da minha parte. Pois bem, o tempo passou. Uma semana antes do prazo que eu tinha estabelecido, fui à sala do sócio da empresa, que era o meu chefe, e disse a ele que aquela seria a minha última semana, e que gostaria de agradecer a oportunidade que ele havia me dado, sobretudo por todas as coisas que eu havia aprendido naquele período. Lembro-me de que ele se levantou, veio em minha direção, e eu cheguei até a achar que ele me daria um abraço, afinal, eu o tinha como meu mentor. Mas imagine minha surpresa quando tocou minhas costas e disse:

> "Você não tem capacidade nenhuma de empreender, e eu não dou seis meses para você voltar aqui para pedir emprego para mim."

Aquilo foi um choque que eu não esperava, e me marcou muito, como se eu tivesse sido atingido por uma flecha que tentava entrar no meu coração. Isso em razão de toda a consideração que eu tinha não só por aquela pessoa, mas também pela empresa e por tudo o que havia acontecido naquele ambiente. Num primeiro momento, como eu disse, foi um choque, mas logo me restabeleci e não deixei aquela flecha atingir meu coração. Num ímpeto, respondi a ele:

> "Eu vou voltar, mas só se for para comprar a sua empresa!"

Saí de lá com esta frase na cabeça: "O tempo dirá." Claro que aquilo me chateou bastante, mas não me abati e segui meu caminho. O fato é que, um mês depois disso, eu não havia ganhado nem um tostão. Eu tinha alguma reserva, mas claro que já começava a me preocupar. Pois então passou outro mês, e nada. Mais um mês, e nada; quatro meses sem nenhum cliente, cinco meses, e o desespero já começando a bater, até que, enfim, no sexto mês, quando já estava quase reconsiderando minhas decisões, recebi um telefonema do meu ex-chefe, me convidando para almoçar. Sim, ele mesmo, aquele que me disse que eu não tinha capacidade nenhuma para empreender.

Nesse encontro ele me fez uma proposta tentadora para voltar para a empresa, assumir um grande projeto, dobrar o meu salário, ter participação nos lucros daquele projeto, e me tornar sócio da agência.

O que você faria no meu lugar?

Eu já tinha um ótimo salário naquela agência, mas as condições que aquele meu ex-chefe então me propunha eram ainda melhores, e eu teria ainda participação nos lucros e a grande oportunidade de ser sócio do negócio. Considere também minha situação naquele momento: minhas reservas estavam no limite e, portanto, a tentação de aceitar a proposta era realmente grande.

Eu pedi a ele dois dias para pensar.

Realizar o Seu Propósito

Olhando em perspectiva, deixo aqui duas reflexões que muito me ajudaram, e me ajudam ainda, quando tenho que tomar uma decisão importante.

A primeira reflexão: a urgência do outro não é a sua urgência.

Portanto, não tome nenhuma decisão importante para a sua vida tendo como base apenas a urgência do outro. Peça um tempo para pensar!

Aqueles dois dias que eu havia pedido para pensar foram decisivos para a minha trajetória. A necessidade às vezes faz você tomar decisões importantes que vão lhe amarrar durante alguns anos. Por isso, não baseie suas decisões na necessidade imediata e nem na urgência do outro. Baseie suas decisões no seu propósito, nos seus sonhos.

A urgência do outro não é a sua urgência.

Pois bem, eu voltei para casa e, da mesma forma como aconteceu na minha primeira experiência espiritual, eu me ajoelhei e vivenciei uma segunda conexão muito forte com Deus. Eu disse a ele:

> "Preciso tomar uma decisão rápida, recebi essa proposta, e preciso que você me responda e tranquilize meu coração. Se for para voltar, eu voltarei, terei a humildade de voltar. Mas, se não for essa a sua orientação, eu preciso que você me diga o que fazer."

Então, no dia seguinte, uma mentora espiritual, sem saber de nada, me revelou o seguinte: "Pyero, Deus manda te dizer que o que ele te revelou e prometeu ele irá cumprir." Naquele momento meu coração teve paz, e eu decidi, portanto, antes de tudo, confiar na palavra e na promessa que me havia sido feita. No dia seguinte à revelação, eu liguei para o meu ex-chefe e disse a ele que não voltaria.

> **A segunda reflexão** é esta: sempre que você está prestes a cumprir a sua missão ou a realizar seu propósito, você recebe uma proposta que vai em sentido oposto ao que você gostaria de fazer. Na maioria das vezes, é uma proposta que envolve dinheiro, é tentadora, perturbadora, e vem muito ao encontro da sua necessidade, mas não necessariamente

ao encontro do seu propósito. Se você aceita essa proposta, provavelmente ficará aprisionado, longe da expansão e da plenitude que alcançaria se seguisse seu propósito. Por isso digo e não me canso de repetir: **ouça o seu coração!**

Precisei de muita coragem para fazer aquilo. Quem observasse de fora, acharia que eu estava louco, afinal, recusar uma proposta como aquela realmente parecia ser uma loucura. Mas eu me mantive firme e fiel à promessa. E, de fato, dez dias depois eu fechei meu primeiro grande negócio. A partir daquele momento, minha empresa, a DTS GROUP, começou a crescer, as coisas começaram a funcionar, e de tal modo que dois anos depois desse episódio eu consegui cumprir a promessa de trazer meus pais para São Paulo, propiciando a eles uma vida que eles não haviam tido até então, oferecendo aquelas condições de conforto e tranquilidade que eles sempre sonharam.

É Preciso Manter Acesa a Chama do Propósito

Num segundo momento, talvez por conta do sucesso que eu vinha fazendo com a minha empresa, eu comecei a dar muita ênfase ao dinheiro. O dinheiro passou a ser uma espécie de guia. Tudo era feito em razão de quanto dinheiro eu poderia ganhar em cada negócio. Ou seja, como sempre ocorre em situações como essas, o meu "Deus" passou a ser o dinheiro. Como eu já havia cumprido o meu primeiro propósito, em relação aos meus pais, o dinheiro acabou ocupando o espaço que ficou vazio, já que eu não tinha me atentado para isso e, portanto, não tinha uma nova motivação em termos de propósito. Nesse sentido, o dinheiro, o consumo, a aquisição de bens materiais, enfim, o *ter*, ou, como digo aqui no livro, *a carne*, vai ganhando cada vez mais espaço.

Além disso, o tempo parece estar contra você. Tudo é muito corrido, de forma que nunca pensamos no que de fato queremos, nos nossos propósitos, no que vamos fazer daqui a um, dois ou cinco anos, sobretudo porque mal temos tempo para pensar no que faremos na próxima semana! As coisas vão nos tomando e nós vamos cedendo, sem pensar nas consequências. Nesse sentido, ganhar dinheiro é um objetivo prático e imediato, e nos afasta facilmente de nossa essência.

O fato é que eu havia me perdido, não tinha mais um novo propósito, e tinha parado de me conectar diariamente com Jesus, como fazia antes desse período. Foi nesse ponto que perdi a mão das coisas, passando a me sentir triste, frustrado, vazio e insatisfeito, apesar de estar ganhando dinheiro e ter tudo o que queria.

Num certo momento, talvez por até já ter experimentado o que significa estar perto de Deus e já ter sentido como sua presença é essencial, parei e comecei de novo a me aproximar dele, buscando estabelecer aquelas conexões como fazia antes, com o sentido agora de descobrir por que estava me sentindo tão vazio.

Logo percebi a importância de ter sempre um propósito na vida. Eu havia tido essa experiência com meus pais, e sabia da força que um propósito pode ter na sua caminhada. Se você não tem motivo ou razão para sair de onde está, qualquer lugar está bom, ainda que seja o pior lugar do mundo. **Se você tem um propósito, o caminho aparece na sua frente.** Antes, o meu propósito eram os meus pais, mas a partir daquele momento o meu propósito passou a ser "o todos nós". Foi aí que eu descobri que precisava fazer algo pelas pessoas no Brasil e fora do país. Quando eu descobri isso, foi libertador, porque trouxe Jesus para o centro da minha vida novamente, e com ele pude também trazer as pessoas para o centro da minha vida — algo que Jesus também fez ao trazer Deus e as pessoas para o centro de sua vida. Jesus não fazia isso porque queria ter dinheiro, ou porque queria algo em troca. Não, o que ele queria era servir, essa era razão do seu propósito. Essa foi a minha inspiração. Eu entrei nessa jornada e comecei também a servir por meio de minhas atitudes e de doações, ao me colocar à disposição das pessoas para que ouvissem minhas *lives* e palestras, ou por meio dos meus treinamentos, dos eventos que faço etc. Esse então passou a ser o meu propósito.

> **Hoje, minha missão e meu propósito são fazer com que 98% das pessoas que lerem este livro possam se conectar diariamente com Jesus e encontrar um propósito que seja capaz de despertar nelas o seu verdadeiro "eu", a sua verdadeira identidade.**

Esse processo teve início na minha vida, de maneira consistente, há cerca de quatro anos, quando comecei a estudar e a pesquisar formas de mostrar às pessoas a importância dessas conexões com o espírito. Foi a partir disso que comecei a desenvolver o meu Método, uma ferramenta única que permite a qualquer pessoa se conectar de maneira profunda com Deus e consigo mesma. Nesse período, reuni e acumulei informações e conhecimentos valiosos. Mas veja que interessante: por mais que eu estivesse cheio de dados e estudos, aquilo só fazia sentido se eu passasse aquele conhecimento adiante. Ou seja, quando eu me esvaziava, abria espaço para novas descobertas e conhecimentos. Quando eu me esvaziava, a partir dos meus trabalhos de ensinar pessoas, me sentia cada vez mais pleno. Esse era o meu segredo, eu precisava ensinar, falar às pessoas sobre como essas coisas aconteciam, falar da importância de encher o espírito delas, para dar sentido às suas vidas. Isso aconteceu com Jesus.

Ele se retirava todos os dias de madrugada para orar, receber a palavra do Pai, e se "enchia" com Deus, e depois se reunia com os seus discípulos e saía para se esvaziar pregando para o povo.

Cerca de um ano e meio atrás, comecei a fazer a mesma coisa. Comecei minhas *lives* diárias às 6h02 da manhã, de segunda a sexta, nas quais reunia de 40 a 60 pessoas no início. Hoje, temos mais de 2 mil pessoas, todos os dias, com as quais eu me reúno e falo sobre a inteligência do século (a inteligência espiritual) e sobre como viver uma vida plena e próspera. Além das *lives*, comecei também a fazer os eventos proprietários, comecei a palestrar e dar treinamento, falando para o mundo sobre esses processos da inteligência do século (espírito) e levando a palavra a uma infinidade de pessoas. Com isso, eu me encho e me esvazio, aprendo e ensino, seguindo o meu caminho e cumprindo o meu propósito.

Esse encher e se esvaziar tem a ver com a Lei da Doação, que diz que você precisa dar ou doar para receber mais. Isso acontece em todo o lugar. As pessoas estão gordas de conhecimento, gordas no sentido de serem acumuladoras. Elas vão se empanturrando de coisas, de informação, de dados, mas não conseguem processar isso, não conseguem fazer fluir esses ensinamentos. Se elas não fazem isso, esse conhecimento enferruja, vai perdendo a precisão, e acaba até se tornando algo inútil caso você não use ou não repasse isso a outras pessoas. Tudo o que você aprende precisa ser colocado para fora.

Nesse sentido, este livro tem esse objetivo, o de repassar a você os ensinamentos que me permitiram me conectar profundamente com a Inteligência Espiritual que estou chamando de A Inteligência do Século!

É o que proponho a você nas próximas páginas.

Conecte aqui sua fé à minha fé e vamos juntos?

A BATALHA ENTRE O ESPÍRITO E A CARNE

CAPÍTULO

— QUEM É VOCÊ E ONDE VOCÊ ESTÁ?

"Quando você descobre que é herdeiro do Criador do céu e da terra, e tem direito sobre a herança, o jogo muda completamente."

— PYERO TAVOLAZZI

Tudo o que você alimenta e consome desde a sua infância é o que irá direcionar sua vida e o tamanho do seu sucesso neste mundo. Somos criados e educados para seguir os passos de nossos pais, ou daqueles que se propuseram a estar no lugar deles. Se tivermos uma boa orientação ou, pelo contrário, formos desvalorizados ou rejeitados, isso se refletirá em nossa jornada. De um jeito ou de outro, esse é o modelo que você seguirá, tentando reproduzir aquelas experiências ou exemplos que lhe foram passados na infância e na adolescência. Para algumas pessoas, esse talvez possa ser um jeito interessante de viver. Se você cresceu numa família equilibrada, com convicções claras sobre o sentido da vida e sobre o seu papel no mundo, provavelmente você enfrentará com sabedoria os problemas da vida, com zero ansiedade ou quase nada. Se seus pais ensinaram você a alimentar seu espírito se conectando com Deus; e se você consegue ficar sozinho, meditar e buscar sempre fazer o bem, onde quer que você esteja, provavelmente você estará em paz consigo mesmo.

O problema é que 98% das pessoas, ou, posso dizer, a imensa maioria delas, não sentem isso e nem vivem assim. Muitas nem se dão conta dessa falta, embora não deixem de reconhecer as frustrações e o fracasso. Essas pessoas buscam nas conquistas materiais preencher este vazio que têm dentro de si, mas os bens materiais nunca são suficientes para preencher o vazio da alma, e isso, em diversos momentos, é muito angustiante. Como você já deve ter percebido por experiência própria ou por observar os outros, o ato de *TER*, seja lá o que for, não substitui o ato de *SENTIR*. Você pode ter inúmeros bens e riquezas, e com eles comprar quase tudo no mundo. Mas você não compra paz de espírito, nem calma, nem felicidade ou plenitude, por exemplo; você não compra o afeto e o carinho do próximo, o amor e nem a gratidão de ninguém. Se você está e se sente distante de Deus, se o vê como um ser muito ocupado, sem tempo para você ou distante, você nunca se sentirá pleno. Sempre haverá um vazio a ser preenchido, e sua vida será um abandono completo, um lugar em que você só poderá contar consigo mesmo — e com as coisas que o alimentam desde a sua infância, isso é, a descrença, talvez a baixa autoestima, talvez a falta de confiança, talvez a solidão ou até mesmo o abandono.

Se esses são os alicerces da sua vida, este é o momento de parar e refletir sobre o que está acontecendo.

Muitas pessoas vivem assim, e não se dão conta de sua tristeza, de sua melancolia, de sua desesperança. A falta de sentido na vida é uma das causas da depressão. Ou também uma das razões que leva muitos a se sentirem ansiosos por quererem coisas que estão além do seu alcance, e vendo-se por isso, e ao mesmo tempo, como fracassados e sem propósito.

Isso me lembra de uma epístola que o apóstolo Paulo escreveu aos
Gálatas (5:16-25):

(...)

"¹⁶Por isso digo: deixem que o Espírito guie sua vida. Assim, não satisfarão os anseios de sua natureza humana. ¹⁷A natureza humana deseja fazer exatamente o oposto do que o Espírito quer, e o Espírito nos impele na direção contrária àquela desejada pela natureza humana. Essas duas forças se confrontam o tempo todo, de modo que vocês não têm liberdade de pôr em prática o que intentam fazer. ¹⁸Quando, porém, são guiados pelo Espírito, não estão debaixo da lei.

"¹⁹Quando seguem os desejos da natureza humana, os resultados são extremamente claros: imoralidade sexual, impureza, sensualidade, ²⁰idolatria, feitiçaria, hostilidade, discórdias, ciúmes, acessos de raiva, ambições egoístas, dissensões, divisões, ²¹inveja, bebedeiras, festanças desregradas e outros pecados semelhantes. Repito o que disse antes: quem pratica essas coisas não herdará o reino de Deus. ²²Mas o Espírito produz este fruto: amor, alegria, paz, paciência, amabilidade, bondade, fidelidade, ²³mansidão e domínio próprio. Não há lei contra essas coisas!

"²⁴Aqueles que pertencem a Cristo Jesus crucificaram as paixões e os desejos de sua natureza humana. ²⁵Uma vez que vivemos pelo Espírito, sigamos a direção do Espírito em todas as áreas de nossa vida."

(...)

Por que me lembrei dessa passagem?

A razão é simples, mas essencial: se sua vida estiver ligada diariamente a Jesus Cristo, seus atos e sua conduta estarão pautados pelas virtudes do Espírito, e você colherá os frutos oriundos dessa escolha. Porém, se sua vida se pautar pelo distanciamento do Espírito Santo de Deus, quem governará você e sua vida será sua carne. Quando você está nas mãos da carne, digamos assim, sua vida vira um caos.

Existem dois seres dentro de nós, Adão e Abraão. Aquele que alimentarmos governará nossa vida.

O Éden foi uma atmosfera criada por Deus, onde o céu e a terra eram um único lugar. Todos os dias Deus visitava Adão, e ambos tinham um relacionamento sobrenatural. Quando Adão pecou, o Éden saiu de Adão, ou seja, essa atmosfera que chamamos de Éden foi retirada de Adão, e ele começou a se enxergar nu, impuro, com vergonha, como um pecador. A carne de Adão despertou naquele momento e o seu espírito parou de governar. É por isso que todos nós temos a natureza de Adão dentro de nós, uma natureza que quer sempre pecar. Em contrapartida, Deus colocou no mundo um homem chamado Abraão, e este homem, que ficou conhecido como o pai da fé, veio para nos provar que temos que colocar Deus em primeiro lugar em nossas vidas para que as demais coisas sejam acrescentadas. Abraão é o pai da fé, e Adão é o pai do pecado. Temos esses dois seres dentro de cada um de nós, e aquele que você escolher diariamente para governar o seu dia irá dominar sobre o outro.

E Quais São os Objetivos da Carne? O Que a Carne Quer?

A carne quer tudo o que é ilegal, imoral e engorda. A carne não quer pagar o preço de acordar mais cedo, por exemplo, para fazer uma grande conquista — ao contrário, a carne é sempre preguiça e procrastinação, e ainda assim acredita e quer fazer uma grande conquista. Noutro exemplo, a carne não quer uma dieta saudável — ao contrário, a carne quer se empanturrar, quer cada vez mais, quer degustar todos os sabores, independentemente da necessidade, e sem moderação alguma. A carne, o seu corpo físico, não quer ir para nenhuma academia, embora se disponha instantaneamente a beber sempre que puder.

A carne quer sonegar, quer trair, quer sexo sem compromisso, quer dinheiro rápido, quer festas, quer o pecado e não está preocupada com o amanhã.

Ou seja, a carne quer tudo que a satisfaça, no curto prazo, da maneira mais imediata possível. O corpo não pensa no amanhã; tudo o que lhe interessa precisa acontecer agora, no presente momento. A carne não tem preocupação com o tempo, com o futuro, e nem com a sua vida.

Mas, se existe a carne, então também existe o espírito.

E os prazeres do espírito são outros e muito diferentes dos prazeres da carne. Os prazeres do espírito são longevos, estão conectados com a fonte da vida no curto, médio e longo prazos, e para que você possa viver uma vida no espírito, você precisa conectar o seu espírito com o Espírito Santo de Deus todos os dias de maneira simples. E vou ensinar a você neste livro o passo a passo de como fazer isso. O espírito quer que você viva mais e melhor. No espírito, você vence os desejos da carne e fortalece as virtudes necessárias para se sentir pleno e em paz todos os dias e ainda conquistar uma vida sobrenatural.

O que talvez ninguém nunca tenha ensinado a você é que somos um espírito, possuímos uma alma e moramos neste corpo físico. O seu corpo físico é apenas um recipiente; quando você morre, o que sobe é o seu espírito.

Enquanto ser, temos em nós tanto a carne quanto o espírito. A carne, por sua própria natureza, é cega. No entanto, de acordo com a ordem divina, é o espírito — por sua sabedoria, graça e justiça — que deve governar e comandar sua vida, e submeter assim a carne ou o corpo.

Quando você está desconectado de Jesus Cristo, sua vida, portanto, está baseada nos desejos da carne. Isso quer dizer que você só se motivará pelas coisas do TER, ou seja, pelos prazeres do *consumo*, ou desejos impuros, pelas *coisas* que quer conquistar. Tudo, nesse caso, se resume a TER bens materiais, e prazeres imediatos, como a satisfação dos prazeres carnais. A pessoa nessa condição calcula suas emoções e sentimentos pelo que possui — e isso inclui os outros, aqueles que participam do seu círculo. Se você *tem* algo a me oferecer ou exibir, então será bem-vindo. Do contrário, será excluído.

Como você verá mais à frente, isso tem um alto custo.

O seu espírito, nesses casos, estará adormecido, ele não tem voz e nem vez. Quando a carne está no comando, sem perceber você acaba sendo envolvido, e se deixa levar pelos prazeres mundanos, pelos vícios, pela blasfêmia, pela ira, pela inveja, pela luxúria, pelo sexo impuro, enfim, por tudo aquilo que enfraquece seu espírito.

Preste atenção nisso que vou falar agora: quem traz tudo isso para você são as pessoas que estão a sua volta, as pessoas que fazem parte dos seus relacionamentos.

Quem nos faz viver na carne são esses amigos, que aliás estão nos ambientes que você frequenta — porque esses são os alimentos da carne, e essa é a sua estratégia. Quando isso acontece, a pessoa só pensa no aqui e no agora; não existe amanhã, não existe visão de futuro. Ela está à deriva, fica sujeita àqueles estados que vêm depois desses prazeres imediatos, e que enfraquecem o ser: a melancolia, a ansiedade, a solidão, o vazio, o tédio, a depressão.

Nesses casos, a vida da pessoa não anda, fica emperrada, pois existe um bloqueio espiritual, de forma que ela nunca se sentirá plena — e perpetuará assim uma autodestruição a médio e longo prazos.

A carne, nesse momento, leva você para o caminho da destruição em câmera lenta, sem que você perceba. É um caminho feito de tentações, para as quais a carne se inclina sem pestanejar. Todo dia temos um banquete à nossa frente, do qual podemos ou não nos servir. Mas o que tem nesse banquete? Os alimentos mais ambicionados, como bebidas e drogas em abundância, o estímulo carnal (sexo, traição, luxúria), o fascínio pelos bens materiais, a cobiça, a inveja, a indiferença, a falta de perdão. Aquilo que num primeiro momento se apresenta como mais prazeroso, mais fácil, mais rápido e indolor, numa pista reta e imediata, é também o caminho da lenta destruição do ser e de sua alma.

Um dos objetivos deste livro é despertar sua consciência para quem está governando sua vida. Quero ajudar você a sair do efeito hipnótico da carne.

Lembrando: a carne quer sempre tudo o que é ilegal, imoral e engorda. Ou seja, prazer imediato.

Já o caminho do espírito é uma estrada tortuosa, com curvas e subidas, em que a cada momento o SER é chamado a fazer escolhas para atingir seu destino com segurança e paz. Não é um caminho fácil, mas é um caminho seguro, em que o espírito alimenta o corpo com amor, gratidão, perseverança, benignidade, temperança e fé. Repito: o espírito alimenta o corpo e não o contrário.

Talvez você se pergunte: **Mas é possível renunciar aos prazeres do mundo?**

Eu digo que sim, é possível. Não estou dizendo que você tem de ser santo, até porque ninguém é santo — o único foi Jesus Cristo! Todos somos pecadores. Eu diria mais: todos somos confrontados, dia após dia, com as mais diversas tentações. Mas o que diferencia o *SER* que vive no espírito daquele que vive na carne não é a abstinência, mas o autocontrole da sua vontade, a autodeterminação de sempre procurar os caminhos virtuosos e a disciplina de alimentar seu espírito diariamente.

Quando faz isso, você começa a pautar sua vida com riquezas que a carne não compra. Mas o que são essas riquezas? Aqui estão elas: paz, amor, temperança, a amizade sincera, a bondade, a gratidão, a tranquilidade, a confiança, a fé, a ousadia, a plenitude, a coragem etc.

Imagine uma pessoa abastada, cheia de riquezas materiais, tendo de fazer um testamento, dividir seus bens entre seus filhos, mas tentando também aplacar entre eles a ganância, a inveja, a ambição de quererem cada qual mais que os outros. Isso ocorre porque esses filhos foram criados e treinados a *TER* sempre mais e mais, num ambiente em que provavelmente o *SER* nunca foi valorizado, de forma que nunca aprenderam a alimentar o próprio espírito, mantendo o foco apenas no *TER*. Quando isso acontece, você fica distante da sua verdadeira natureza. Num momento desses, na hora de deixar um legado aos seus, o que uma pessoa pode fazer, por mais dinheiro que tenha? Que tipo de paz ela poderia comprar com esse dinheiro? No fim de sua vida, o seu maior legado, o que vai fazer diferença, será a quantidade de pessoas que você ajudou, e não a quantidade de dinheiro que guardou.

Quase sempre você precisa fazer escolhas. E elas precisam ser as melhores. Por mais bondosa que seja a sua alma, por mais amor que exista no seu coração, se você não estiver conectado ao caminho do espírito, o risco de corromper-se é muito alto. Por melhor que você seja — e não existe motivo nenhum para sermos maus —, se deixar que a carne guie a sua jornada, o caminho da ruína é inevitável. Você estará sujeito a trair sua mulher ou o seu marido, estará sujeito a vícios, se tiver a chance de ganhar algum dinheiro a mais, não importa por quais meios ou a que custo, você irá atrás dessa oportunidade. É a carne no comando, falando e decidindo por você.

Para a carne não existem excessos, e nem há limites. Quanto mais você a alimenta, mais ela cresce.

Sua carne e seu espírito são ativados da seguinte maneira:

1. **Por aquilo que você vê.** Ou seja, se você entra na internet para ver pornografia, ou assiste a novelas, filmes de terror, ou cenas que geram em você uma sensação de prazer momentâneo, ou despertam sua ira, medo ou cobiça, tudo isso lhe deixa distante do espírito. Pois é justamente isso que ativa e alimenta a sua carne.

2. **Pelo que você ouve.** Por exemplo: músicas que lhe inspiram a beber, a fazer sexo, a usar drogas ou a participar de festas e reuniões promíscuas. Isso também alimenta a sua carne.

3. **Pelo ambiente que frequenta.** Se você está em um ambiente onde se sente estimulado a beber, a fumar, a usar drogas, a consumir comidas nada saudáveis e a ficar falando sobre temas que não acrescentam nada na sua vida, logo você será como essas pessoas, pois o ambiente sempre será mais forte que você. Portanto, não se misture. Você é único.

4. **Pelas pessoas com que convive.** Elas podem influenciar tanto seu espírito quanto sua carne.

Atenção: Isso influencia não só você, mas também seus filhos e toda a sua geração. Sabe por quê? Porque os filhos são reflexos dos pais.

Por outro lado, se você escolhe as virtudes do espírito, certamente selecionará músicas que alimentam a sua alma e a sua fé, e que o deixam mais próximo da fonte inesgotável que é Deus. Ver filmes inspiradores, ler livros que ampliam o seu *mindset* (o estado de plenitude da sua mente), estar em lugares cuja atmosfera é saudável, com pessoas que cultivam os dons e as virtudes do espírito, tudo isso ativará seu lado espiritual. Se nesse caminho você escolher acompanhar pessoas assim, atenção: há um sério risco de você se tornar uma delas.

Por que as pessoas não percebem isso?

Imagine o seguinte: Duas forças convivem dentro de você. Uma é a carne, outra é o espírito. As duas, para sobreviver, precisam ser alimentadas. A conta é simples: aquela que for melhor alimentada estará no comando.

Se você alimenta a carne com as tentações disponíveis naquele banquete que mencionei há pouco, é ela, a carne, que tomará conta de sua vida. E, detalhe, este lobo faminto (sua carne) também consumirá seu espírito. Ou seja, a pessoa passa a matar seu espírito e sua alma aos poucos, sem se dar conta; tornando-se indiferente às virtudes do amor, da bondade, da paz, da temperança etc. Quando isso ocorre, essa pessoa entra num círculo vicioso. Ela está sempre em busca das sensações do prazer imediato, fugaz, proibido, tentador e insustentável. E pior: ela nem se dá conta de que está caminhando para sua própria ruína.

Duas coisas acontecem aqui: primeiro, que esses prazeres são voláteis, inconstantes e duram muito pouco. Logo, a pessoa precisa repor esse prazer instantâneo por algum outro; segundo, justamente por estar totalmente dominada pela carne, a pessoa não consegue suportar o vazio que esses prazeres deixam quando passam. Quando os prazeres vão embora, não fica nada a não ser a vontade de retornar a esse prazer, o que nem sempre é possível. A solidão do vazio é uma das coisas mais insuportáveis do mundo.

Nesse vazio aparece o arrependimento. E o espírito, então adormecido, tenta reverter aquele ato, mas é tarde. A pessoa não consegue responder adequadamente, às vezes chega a reconhecer seu erro, se arrepende, mas como é a carne que está no comando — e, como dizem alguns, se a carne é "fraca" —, então ela volta, repete, comete o mesmo erro, busca um novo prazer para suprir aquele vazio insuportável.

A busca pelos prazeres imediatos tem a ver com uma busca para preencher ou compensar o vazio interior de uma vida sem sentido.

O vício, o excesso de comida, ou de bebida, o desregramento constante e a busca desesperada pelo consumo são formas de preencher esses espaços vazios. E, como é um círculo vicioso, a pessoa se sente culpada depois de cada uma dessas fases. E a forma que escolhe para reparar aqueles erros é voltar a errar, isso é, sair e se perder na vida, viver a euforia pura, manter-se o máximo possível num estado de êxtase, quer dizer, fora de si.

Será que você tem alimentado sua carne ou seu espírito? Isso já aconteceu com você?

Pense um pouco em como está sua vida hoje e descreva quais prazeres da carne está praticando e o que sente depois de praticá-los. Pense e escreva também sobre quais amigos estão lhe influenciando e quais ambientes você deveria deixar de frequentar por estar se sentindo prejudicado. Enfim, que coisas você tem valorizado e quais delas, mesmo sabendo que não trarão nada de bom, você vive repetindo.

Escreva o que sente no quadro abaixo:

Por outro lado, se o espírito é atendido e cultivado com as virtudes do amor, da bondade, e sempre no caminho que Jesus nos indica, então é ele que estará no comando e guiará sua vida.

Destaco aqui um trecho de minha história, já mencionada na Introdução deste livro. Lembro que, quando vim para São Paulo para mudar a vida dos meus pais (esse era o meu objetivo), eu tinha uma mala nas costas e nada mais; nenhum dinheiro, nenhum destino. Fiquei morando de favor na casa de uma amiga. E tudo o que eu tinha era um colchão no chão, onde passava a noite pensando no que fazer no dia seguinte.

Depois de trabalhar por um bom tempo em diferentes áreas, consegui um estágio numa agência, e logo depois disso as coisas começaram a acontecer. Quatro anos depois, já como diretor dessa empresa, decidi sair para empreender, pois ainda buscava o tal sonho de dar aos meus pais uma vida melhor. Fiquei seis meses no vazio, tentando encontrar uma oportunidade, sem faturar um centavo sequer. E, quando já pensava em desistir, o dono da minha antiga agência me ligou e fez uma proposta tentadora dizendo que dobraria o meu salário e me daria participação nos lucros da empresa. Fiquei balançado, claro. Pedi dois dias para pensar, e me chamaram de louco. De fato, a proposta era muito boa, me daria alguma estabilidade. Mas não era para mim. E aqui vai uma lição poderosa que aprendi:

O urgente do outro não pode ser o seu; a pressa do outro não é a sua pressa. E uma decisão que vai impactar o seu destino não pode ser tomada de uma hora para outra, você precisa de um tempo para pensar.

Como eu descobri isso?

Logo depois de receber a proposta, cheguei em casa, me ajoelhei e abri meu coração para Jesus. Fiz duas perguntas para ele: "Pai, é isso que tu queres para minha vida? Essa é a tua vontade? Porque, se for essa a tua vontade, eu estou dentro, porque que quero que a minha vida seja dirigida por você, e não por mim."

Sabe por que fiz isso? Porque estava cansado de decidir sozinho as coisas e tomar decisões erradas. Aprendi que o problema de 90% das pessoas é não deixar Jesus ser o senhor de suas vidas.

Deixo três pontos aqui para você refletir:

1. A oportunidade que aparece para o homem talvez não seja a vontade de Deus para ele (ou para sua vida), e por isso é preciso sempre, todos os dias, perguntar a Jesus: "É isso mesmo que tu queres para mim?"

2. Decidi que antes de me encontrar com as pessoas nas ruas eu preciso me encontrar com Jesus no meu quarto secreto. A minha casa é a representação do reino, e preciso orar todos os dias, me conectar com Jesus diariamente. (Mais à frente, vou ensinar você a transformar a atmosfera da sua casa.)

3. Descobri que orar significa que o homem dá permissão a Deus para interferir na Terra a seu favor.

Hoje, antes de tomar qualquer decisão, eu pergunto sempre, e orando, o que Jesus faria no meu lugar. Pois não quero mais contaminar o meu corpo, minha mente e espírito com coisas do mundo.

É claro que não foi fácil mudar, porque existe uma guerra constante no reino espiritual pela sua vida. Quando você se posiciona, parece que um mundo de tentações começa a perseguir você. Mas eu venci o mundo, e você também vencerá. Foi isso o que Jesus disse em **João 16:33**:

> "Eu lhes falei tudo isso para que tenham paz em mim. Aqui no mundo vocês terão aflições, mas animem-se, pois eu venci o mundo."

Posso afirmar que, por meio deste livro e do método que criei para mudar completamente a sua maneira de se relacionar com o mundo espiritual, e com Jesus, você vai mudar completamente qualquer área da sua vida; seja financeira, conjugal, mental, emocional ou espiritual. Basta você ler estas páginas até o fim e praticar meu método.

A chave para encontrar sua paz interior espiritual, transformação e equilíbrio na vida, como você verá ao longo do livro, está no Método Sou, EU SOU — uma metodologia que desenvolvi e que consiste, basicamente, na seguinte prática:

Você precisa alimentar seu espírito todos os dias.

Essa prática tem de ser exercida pelo menos 16 minutos por dia, como uma prioridade em sua vida. A ideia por trás disso é que, ao praticar o Método Sou, você vai *calando a boca* da carne dia após dia, e se aproxima assim do Criador, seguindo os passos de Jesus. Quanto mais próximo Dele você estiver — e isso é tudo o que precisa fazer —, mais Ele fará a obra em você. Proximidade é poder, ou seja, os caminhos se abrirão, suas decisões serão iluminadas, e o Espírito Santo guiará os seus passos.

Talvez você se pergunte: Mas por que ele não fez ainda o sobrenatural na minha vida?

Resposta: Porque Deus deu a você o livre-arbítrio.

Você escolhe, voluntariamente, o que quer da sua vida. Ele está ao seu lado 24 horas por dia, 7 dias da semana. Mas ele nunca vai tomar decisões por você. Você escolhe se quer tê-lo ao seu lado, ou se quer estar de mãos dadas com ele, ou se quer ser mais ousado como eu fui, e então se jogar nos braços de Jesus, todos os dias, de uma vez. A decisão não é dele, mas *sua*. Jesus não precisa de nada; quem precisa arrumar e organizar a vida é você, sou eu, enfim, somos nós. Deus nunca obrigará você a fazer nada que não queira. Deus está dentro de você, ele mora dentro de você e, quando o procura, você o encontra. Mas existe um princípio para encontrá-lo, e ele está em Jeremias 29:12-13:

> [12]**Naqueles dias, quando vocês clamarem por mim em oração, eu os ouvirei. [13]Se me buscarem de todo o coração, me encontrarão.**

Ou seja, você precisa abrir seu coração. Mas você precisa também querer procurá-lo para que possa achá-lo. Quando for procurá-lo de coração, você irá então encontrá-lo. Quando? Todos os dias, porque ele não quer um relacionamento de apenas uma vez por semana com você, ou só aos domingos, só às quartas ou quintas. Ele é seu pai, ele quer ter intimidade, quer contar e mostrar a você coisas a seu respeito. Deus quer curar sua alma e seu coração, mas você precisa tomar uma decisão para, a partir de hoje, buscá-lo todos os dias. Ele não pode fazer isso por você, ele não pode abrir a boca por você, ele não pode abrir o seu coração por você. Afinal, ele deu a você o livre-arbítrio justamente para que você escolha fazer isso.

A inteligência espiritual deve ser a prioridade número um do começo do seu dia. Nada vai funcionar direito se você não estiver conectado com o espírito. É claro que você pode se levantar e seguir sua vida sem se importar com nada disso, e até fazer bons negócios, ganhar dinheiro, e sair à noite e se esbaldar curtindo a vida adoidado, com bebidas e diversão. Sim, você pode fazer isso, afinal, você tem o livre-arbítrio. Mas o que eu tenho visto (e tenho certeza de que você já viu também) é que esse tipo de vida matará seu espírito, ou seja, é como se você estivesse morrendo para vida. Vidas que se baseiam na soberba, numa conduta perdulária, no desdém da virtude e no desprezo pelas coisas do espírito, se tornam doentes. Uma doença, aliás, para a qual não há médicos, nem hospitais e muito menos dinheiro que possa curá-la.

Como você verá, o desejo da carne e as tentações do mundo nunca vão deixar de existir. É importante ter isso em mente. Não estou escrevendo este livro para dizer que depois desta leitura você vai entrar no paraíso. Não é assim que funciona. A ideia que proponho é que você aprenda a assumir o controle, consiga despertar e dominar-se e, mais do que compreender, saber colocar o espírito no comando de sua vida. Como eu disse, os desejos e as tentações vão continuar, vão atormentar você na caminhada, mas se você estiver firme no espírito, e conectado com os ensinamentos de Jesus, você saberá enfrentar as tempestades e as tentações. E chegará um dia no qual você vai estar tão cheio do Espírito Santo que os inimigos não irão mais seduzi-lo, pois, como está no Deuteronômio 28:7:

> "O Senhor derrotará seus inimigos quando eles os atacarem. Eles virão contra vocês de uma direção, mas serão dispersados em sete direções."

Quando você alimenta o seu espírito todos os dias, você ganha domínio e controle, e sua carne perde força. Porém, na medida em que somos humanos, é possível que um ou outro dia você caia em tentação e peque — isso acontece com todos. Mas você sabe por que a maioria sucumbe? Porque, quando esconde o seu pecado de Jesus, você fica envergonhado, se sente indigno de estar novamente na presença do pai e acaba acreditando que Jesus se afastou de você. Tudo isso é uma mentira plantada na sua mente por Satanás para manter você distante da presença do pai. Quando cair em tentação e pecar, tudo o que você precisa fazer é se trancar no seu quarto, se ajoelhar e falar: "Pai, eu errei, eu caí em tentação, me ajude a me libertar disso!"

Ou seja, tudo o que você precisa é se jogar nos braços do pai, de coração aberto!

Eu me lembro de que, quando estava completamente dominado, eu era viciado em baladas, bebidas e mulheres, e por um tempo achei que Jesus tinha nojo de mim, e não me amava mais. Portanto, acabei me afastando. Eu pensava mais ou menos assim: "Como vou entrar na presença do pai se na noite passada eu estava bêbado, cercado de mulheres?" Esse era o meu dilema, e isso me mantinha afastado do pai. Um dia, um mentor espiritual me falou algo que me libertou. Ele disse: "Pyero, não deixe de buscar Jesus e confessar os teus erros, porque todos nós erramos, e um dia ele, o pai, vai te honrar, e todas essas vontades do mundo vão desaparecer." Aquelas palavras foram um divisor de águas na minha vida, e naquele dia eu comecei a não fugir mais e a enfrentar meus pecados, me jogando cada vez mais nos braços de Jesus.

Mas o que aconteceu? Por que comecei a agir assim?

Na verdade, descobri que o único que não pecou e foi santo morreu na cruz por nós e ressuscitou no terceiro dia. Seu nome era Jesus. Tomar consciência disso me libertou. E é por isso que tantos líderes religiosos sofrem calados, porque são obrigados a ser perfeitos, e carregam um peso nas costas num mundo onde ninguém é perfeito, pois todos erramos. Só que o mundo quer pessoas reais, e aí, quando isso cai na mídia, quando aparece que alguém errou, arma-se um escândalo, porque a religião deixou os líderes presos a essa falsa mentira, a de serem perfeitos aos olhos do povo.

Toda vez que peco, entro na presença do pai e me jogo nos braços dele. E ele vai me limpando. Hoje, sou livre daquilo que antes me aprisionava. Aqueles que têm suas vidas pautadas pelas virtudes do espírito conseguem sempre retornar ao caminho.

Você precisa fazer desse contato com o espírito, logo pela manhã, um ritual. E transformar esse ritual numa rotina, que deve ser praticada todos os dias. Ritual é o que muda a sua vida. Vou dar um exemplo de uma tradição que talvez você já tenha ouvido falar: por que sempre chove quando um índio está dançando a *dança da chuva*? Porque ele só para de dançar quando chove. E ele faz isso de uma tal forma que não dá para dizer que chove porque ele dança ou que ele dança porque chove. Uma coisa posso dizer com toda certeza: esse índio dançará até chover e ponto final. O que acontece com 98% das pessoas é que elas querem tudo para hoje, neste momento. Se não for agora, isso não funciona, e com isso muitas desistem no meio do caminho. As coisas estão interligadas naquele contexto. Quando você transforma em ritual sua conexão com o espírito, uma coisa fica interligada à outra. Tudo em sua vida passa por essa conexão. Você cria meios e rituais para alimentar seu espírito, sua mente e suas emoções, fortalecendo ambos, e, por decorrência, enfraquecendo sua carne a tal ponto que você governa sobre ela, pois seu é o domínio e o poder.

Se você faz isso todos os dias, o jogo fica em suas mãos, você está no controle da sua vida. E a partir desse ponto você começa a colher os frutos do espírito: temperança, paz, mais amor, paciência, benignidade, compreensão e até a construção de uma aura de atração positiva em relação à vida. Tudo isso leva à abundância e à prosperidade, mas de modo real e pleno.

As Razões que Estão por Trás das Travas em Nossas Vidas

Se você pensar, percebe que alimentar o espírito e fugir das tentações são coisas simples, embora difíceis de serem executadas. Isso ocorre porque fomos alimentados por mentiras ao longo de nossa infância e adolescência. A imensa maioria dessas mentiras, que nos impede de nos conectar com o espírito, nos foi incutida por pais castradores, professores ou líderes que exerceram algum poder sobre nós. Todas as vezes em que você foi ou se sentiu reprimido, uma mentira foi instalada no seu espírito, uma espécie de mordaça. Quando disseram que você seria um fracasso, ou que você era um imbecil; ou que não daria em nada na vida porque fazia tudo errado; ou que pedissem para que você calasse a boca; ou que os ricos ganham dinheiro ilegalmente; ou que os milionários não prestam; ou mesmo quando não respeitavam o seu jeito de ser, enfim, essas coisas todas, ao longo do tempo, contribuíram para que você criasse travas e prisões no seu SER.

Quando você cala o espírito (até com a intenção de protegê-lo e preservá-lo), você acaba fortalecendo a carne, e à medida que a carne se fortalece é preciso alimentá-la, pois sua voracidade é gigantesca — e isso inclui a derrocada do espírito.

Essas mentiras que nos são vendidas como verdades podem acompanhar uma pessoa ao longo de toda a sua vida. Ela carrega cada um desses fardos por todos os lugares em que passa — na vida profissional, na vida social, na família, no casamento, na relação com os filhos, nas finanças etc. Isso já está instalado no subconsciente, e é manifestado no seu dia a dia sem que seja perceptível. Em todos esses momentos, as marcas dessas mentiras ficam bem expostas, e se traduzem em fracasso, traições, pobreza, frustrações, infelicidade, insatisfação, raiva, inveja, solidão e vazio. Esse é um padrão que você vem carregando desde a sua infância, mas eu garanto a você que com o método EU SOU, que vou apresentar nas próximas páginas, você vai quebrar qualquer uma dessas maldições.

Porque, no meio disso, a pessoa já não consegue saber o que é dela, genuinamente dela, e o que é ou foi construído por conta das mentiras instaladas na sua mente. Ou seja, ela perdeu sua identidade, ou, pelo menos, não consegue achá-la em nenhum lugar. Quando você perde a sua identidade, ou seja, não sabe quem é você, ou quando você não sabe a razão pela qual faz as coisas, ou não vê sentido em viver a vida que tem, chega a ser insuportável passar alguns momentos sozinho, você consigo mesmo. A solidão, que em alguns casos é até agradável, passa a ser um martírio. E como a pessoa não consegue se amar e ficar com ela mesma em paz, ela vai tentar preencher esse vazio — com coisas, festas, banquetes, na compulsão consumista por compra ou alimento, no sexo, nas drogas, em qualquer lugar que se apresente como um tipo de fuga, em qualquer coisa ou lugar em que ela possa dizer: "Uau!!!" E depois, no dia seguinte, se arrepender ou se frustrar.

Proponho a você um exercício inicial para que você possa começar a identificar algumas mentiras. Ao longo do livro vamos trabalhar esses pontos.

Para despertar 100% da sua identidade, você precisa se perguntar:

1. O que Deus pensa que sou?

Aqui está o grande segredo que vai ativar 80% do seu potencial. Deus vê você como único(a), pois não existe ninguém com a sua digital. Você é único no mundo, e Deus enxerga você como seu filho(a), com todo o poder desde a sua criação, da mesma forma como ele enxergou e projetou Jesus. Deus já vê você como um sucesso, com uma família linda, sendo amado(a), próspero(a) e feliz.

2. O que meus pais dizem (ou disseram) que sou?

Na sua infância, você pode ter ouvido muitas coisas ruins ao seu respeito, além de palavras de fracasso do tipo: "você não presta", "é um miserável", "você não vai dar em nada", "cala a boca", "seu infeliz", "o seu pai (ou mãe) não presta" etc. Mas você sabe, no seu íntimo, que tudo isso são mentiras, porque o que vale é aquilo que Deus pensa a seu respeito. Já o que os seus pais pensam a seu respeito é um problema deles. Você deve pegar apenas as coisas boas, e as ruins você joga no lixo.

3. O que eu penso a meu respeito?

Aqui estão os outros 20% da ligação da sua identidade. Você precisa se achar único(a), extraordinário(a), fantástico(a). Quando Jesus foi confrontado com esta pergunta: Quem é você? Ele disse: "Eu sou o pão da vida, eu sou luz, eu sou amor, eu sou vida." Você é imagem e semelhança de Jesus. E vou mais além: você tem a natureza de Jesus, ou seja, você é um pequeno Cristo na Terra. Quando você se olhar no espelho, precisa declarar tudo isso, todos os dias, batendo no peito. Porque seus resultados nunca serão maiores do que o seu autoconceito.

4. O que as pessoas a minha volta dizem ou pensam de mim?

Aprendi algo em minha trajetória que me livrou de uma série de amarras. Dane-se o que os outros pensam de mim. O crítico só sabe criticar, e nem Jesus agradou 100% das pessoas. Você não precisa ter a validação do homem se já tem a validação de Deus. É isso o que conta, e ponto final! O que você pensa a meu respeito é um problema seu, e não meu. Afinal, você só enxerga no outro o que tem dentro de você (esse é o espírito da coisa, portanto, é problema dos outros o que eles pensam de você). Pare de querer agradar todo mundo, pare de se preocupar com a crítica e julgamento dos outros, pare de querer validação e aprovação dos outros. Muitas pessoas param aqui porque só estão preocupadas com as opiniões destrutivas dos outros.

5. O que meu país, a sociedade, exige ou cobra que você seja?

O país vai querer treinar você para que seja um funcionário, preso, cheio de regras e costumes. Você é livre para ser o que quiser. Seja 100% você mesmo. Não espere o presidente, o governador ou qualquer outra autoridade o apoiar. Você não precisa deles, e sim de Deus e de você mesmo. Seja para ser um funcionário (seja para ser o número um na sua área), seja para ser empresário(a), seja para ser o principal no seu nicho. Você só precisa de Deus e de você mesmo!

44 #AINTELIGÊNCIADOSÉCULO

Agora quero que você desperte 100% da sua verdadeira identidade e reconheça o que você é e qual o seu propósito no mundo. Vamos lá?

O que Deus pensa que sou? (Dê a sua opinião aqui.)

O que meus pais dizem (ou disseram) que sou?

O que penso de mim mesmo? (Como você se vê?)

O que as pessoas à minha volta dizem ou pensam de mim?

O que meu país, ou a sociedade, exige ou cobra que eu seja?

Você passa mais tempo em sua vida atendendo às expectativas dos outros ou em busca do seu próprio caminho?

Escreva suas respostas e logo mais, nos próximos capítulos, retome-as e comece a analisá-las à luz dos conceitos e do método que vou apresentar.

**Nos vemos no próximo capítulo.
Até lá!**

MÉTODO SOU

CAPÍTULO **2**

— A ESTRATÉGIA PARA FORTALECER O SEU RELACIONAMENTO ESPIRITUAL

"A única maneira de SER próspero e pleno é alimentar diariamente o espírito."

— **PYERO TAVOLAZZI**

No capítulo anterior, falamos sobre os problemas e dificuldades que as pessoas têm em se conectar com o reino espiritual, e como isso atrapalha suas vidas, deixando-as inertes, sem perspectivas e sem propósito. Vou mostrar neste capítulo o método que venho usando em minhas apresentações (*lives*, cursos e palestras), e como ele tem transformado a vida de milhares de pessoas, ajudando-as não só a se afastar da carne e dos apelos do mundo, como também a conquistar prosperidade, paz e poder, conectando-se com o reino espiritual.

O Método Sou é um conjunto de práticas e ritos que tem por objetivo fazer com que você viva uma experiência dentro de um relacionamento espiritual com Jesus, com vistas a ter uma vida plena, próspera, com paz e amor. Criei o Método Sou num dos momentos mais difíceis da minha vida, justamente quando passava por uma série de experiências desagradáveis. E veja que curioso: durante esse período eu já tinha liberdade financeira, e vivia em razão das minhas empresas. Tinha carros, imóveis, sucesso, dinheiro etc.

O que me faltava então?

Apesar desse aparente sucesso, minha vida interior e espiritual estava em frangalhos. Eu não tinha ânimo, não tinha paz mental, tinha uma vida voltada para o consumismo e para relacionamentos volúveis (mulheres, baladas etc.) alicerçados apenas na aparência da carne. Ou seja, o vazio era imenso, e a insatisfação maior ainda, porque na tentativa de ocupar esse vazio me enchia com coisas materiais, coisas que o dinheiro comprava, mas que não tinham valor para o anseio e as necessidades do espírito.

Quando compreendi que os bens materiais não suprem nem de longe as necessidades do espírito, as coisas começaram a mudar em minha vida. Em síntese: dinheiro, carros, imóveis, mulheres, empresas, sucesso, nada disso alimenta seu interior, seu espírito. Ao contrário, isso são coisas que estão ligadas à ganância da carne e a uma necessidade de aprovação do mundo, ou seja, ambições que você nunca é capaz de saciar. Se você compra um carro muito desejado, nos primeiros dias de aquisição você vai cuidar dele como se fosse o mais precioso dos bens. Você vai deixar o carro lavado, polido, impecável, e fará questão de que todos os seus amigos vejam seu novo carro, como se ele fosse o mais lindo do universo. Quem nunca passou por isso?

Não tenha dúvidas de que em dois meses ou menos você vai perceber que a alegria das primeiras duas semanas já não será a mesma, e logo essa conquista se tornará uma conquista comum, quase descartável, e não alegrará tanto assim o seu coração, como acontecia no início, quando você comprou o carro. Você já não cuida mais dele com a atenção dos primeiros dias, porque esse novo carro rapidamente deixará de lhe dar o prazer que sua carne espera. O mesmo acontece com seu relógio novo, seu celular de última geração, sua casa na praia, sua namorada ou namorado do fim de semana passado, e assim por diante. **Essa é a essência do reino da carne, o qual podemos resumir**

nesta palavra: consumismo. Ou seja, todo bem material tem um prazo de validade, de ápice de felicidade, dentro de você. Por isso existem pessoas consumistas. Elas querem ficar o tempo todo dentro desta atmosfera, do sentimento bom de comprar algo novo, mas nunca serão plenas, porque somente o espírito é capaz de dar plenitude a você. E é isso que você vai aprender neste livro.

Não estou dizendo para você não ter bens materiais, muito pelo contrário. Vou ensiná-lo a se sentir pleno, e os bens vão fazer parte de uma vida abundante, mas eles nunca serão o caminho.

Quanto mais você se entrega a esse mundo do TER, mais você se afasta do mundo do SER, porque é da natureza do TER e do reino material puxar você para baixo. E quanto mais para baixo estiver, mais distante do espírito e do reino espiritual você estará. O que significa dizer que você nunca se sentirá satisfeito, ainda que esteja mergulhado numa piscina de ouro. Você nunca sentirá o que é companheirismo enquanto estiver envolvido com amigos que vivem na carne ou acompanhados de várias mulheres. O vício é o seu combustível. E ele pode se traduzir por meio do álcool, ou talvez pelas drogas, pelas festas, às vezes até pelo trabalho insano ou em excesso, ou por uma busca desenfreada por mais dinheiro. Tudo isso são tipos de vícios. **O excesso em qualquer coisa denuncia a ausência de algo espiritual ou emocional.**

Quando me dei conta disso, fui buscar ajuda, fui estudar e aprender e reaprender o que é o sentido da vida e a importância de fazer parte do reino espiritual, com Jesus no centro da minha vida e guardando o meu coração.

O Método Sou ("soul", em inglês, significa alma, mas tem também um sentido muito pessoal, o que sugere que você é; ou: Eu Sou) é totalmente flexível. Você pode usá-lo em diferentes momentos do seu dia e, dependendo da situação, poderá ainda praticar partes dele, conforme sua necessidade. Mas há uma recomendação importante: o objetivo principal é criar uma conexão permanente entre a criatura (você), o criador (Deus) e todo o reino espiritual. Por isso recomendo muito que você adote em sua vida o exercício diário de todas as etapas, pelo menos pela manhã, quando começar o seu dia. Com isso você começará aos poucos a incorporar os conceitos que apresentarei a seguir.

O Método Sou se estrutura em sete pilares, os quais têm o intuito de ajudar você a fazer uma ligação direta com Jesus, sem intermediário algum. Os pilares são os seguintes:

1. Palavras de adoração (O princípio de tudo: o verdadeiro número um em sua vida).

2. Louvor (Criando minha atmosfera: mude seu ambiente, crie uma atmosfera sobrenatural.

3. Oração (Ligação direta: fale com quem manda em tudo).

4. Batalha espiritual (Aprendendo a guerrear).

5. Declarando o poder da palavra (Prosperidade, paz e poder).

6. Seja grato (a chave da plenitude e da abundância).

7. Bônus: Para curar sua ansiedade e curar sua mente (faça isso pela manhã ou em qualquer momento do seu dia).

Talvez você se pergunte por que sete pilares. Vamos lá: sete é o número da plenitude e da perfeição; é o número no qual se fundamenta a palavra de Deus, e que representa plena abundância em sua vida, totalidade. Lembre-se de que Deus criou o mundo em sete dias, a semana tem sete dias, a barriga da mulher na cesárea é cortada em sete camadas. Portanto, nada mais adequado que você, nessa nova etapa, transforme sua vida a partir das sete etapas, ou dos sete pilares, que fundamentam o nosso método, o Método Sou, criado na totalidade do mundo espiritual.

Bem, vamos a eles.

1. O princípio de tudo: o verdadeiro número um em sua vida (palavras de adoração)

O que é mais importante na sua vida hoje?

Você já pensou nisso, de forma hierarquizada, isso é, o que vem primeiro e o que vem depois?

Pense numa pirâmide e tente alinhar ou ordenar todas essas coisas de acordo com o que você mais prioriza, ou seja, crie uma ordem de importância.

✎ Como seria a sua ordem de prioridades?

1º. _____
2º. _____
3º. _____
4º. _____
5º. _____

De modo geral, é muito comum as pessoas colocarem na ponta da pirâmide, como prioridade, o dinheiro, seus bens materiais, suas metas e ambições, suas conquistas em negócios ou carreira, enfim, o trabalho; às vezes a família e, por fim, Jesus. Muitas vezes, eles até colocam membros da família, mas verifica-se na prática que toda a atenção está mesmo voltada para as coisas materiais. Essa é a pirâmide invertida, pois o essencial ocupa os lugares mais distantes do seu olhar e atenção.

Se você prioriza o *ter*, as coisas da carne, em detrimento do espírito, como poderá encontrar a paz e o amor em sua vida e no reino espiritual?

Quando isso acontece, quando você não tem paz nem amor, o seu espírito nunca é alimentado, porque você está no mundo físico, está na carne e apenas na carne.

Se alimentar seu espírito não for sua prioridade número um no seu dia, como você poderá alcançar prosperidade, paz e poder na sua vida? **Se alimentar seu espírito não for sua prioridade número um, quem você acha que de fato reina em sua vida?** Ora, é o mundo — ele é a prioridade número um. É o mundo ocupando todos os espaços na sua vida, na sua mente, no seu trabalho, no seu caminho. Se ele, o mundo, ocupa todos os espaços, o que sobra para o seu espírito?

Esta é a pirâmide que deve expressar a nova ordem do espírito:

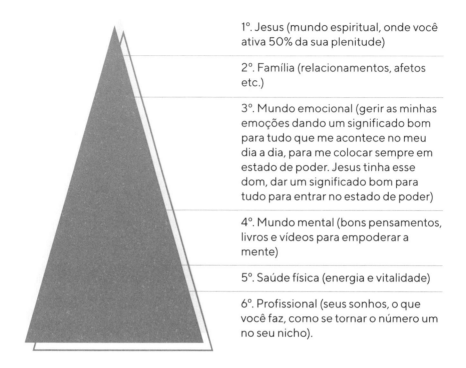

1º. Jesus (mundo espiritual, onde você ativa 50% da sua plenitude)

2º. Família (relacionamentos, afetos etc.)

3º. Mundo emocional (gerir as minhas emoções dando um significado bom para tudo que me acontece no meu dia a dia, para me colocar sempre em estado de poder. Jesus tinha esse dom, dar um significado bom para tudo para entrar no estado de poder)

4º. Mundo mental (bons pensamentos, livros e vídeos para empoderar a mente)

5º. Saúde física (energia e vitalidade)

6º. Profissional (seus sonhos, o que você faz, como se tornar o número um no seu nicho).

Quando essa ordem de prioridades (ou de hierarquias) se estabelece em sua vida, você alcança a plenitude, com paz, amor, e tudo aquilo que o dinheiro não compra — e que pouquíssimos têm!

O amor não tem preço, nem a paz, nem as coisas do espírito. No entanto, são as coisas mais valiosas em sua vida.

Nesse momento de adoração, você declara, com as suas próprias palavras, o quanto você ama Jesus, o quanto Ele é importante em sua vida. Não importa muito o que você pensa estar sentindo nesse momento. Não se preocupe com isso. O importante agora é abrir seu coração, e expressar esse amor por Jesus, dizendo-se grato por Ele estar em sua vida, reconhecendo com alegria o quanto Ele é importante para você, com palavras de afeto, de compaixão, de gratidão. O próprio tempo dará a verdadeira dimensão desse sentimento em sua vida.

Por isso, pratique: essa é a primeira coisa que você deve fazer assim que acordar.

2. Criando minha atmosfera: mude seu ambiente, crie uma atmosfera diferente (louvor)

Este pilar do Método Sou é essencial para o exercício que estamos propondo. Para entrar no reino espiritual, você precisa mudar seu ambiente e criar uma nova atmosfera. Observe que você não precisa sair de onde está para fazer isso. Se você quer mudar o ambiente em que está, crie uma nova atmosfera em sua mente, em seu interior. É dentro de você, primeiramente, que as coisas essenciais precisam acontecer para que possam mudar. Se você não muda sua mente, se não muda o seu interior, o caos irá acompanhá-lo onde quer que você esteja, como reflexo de sua carne.

Mas como fazer isso de forma rápida?

Por meio da música. Essa é a forma mais imediata de criar uma nova atmosfera.

Mas não é qualquer música que serve. É preciso ouvir uma música de louvor, uma música de adoração, que toque não apenas seus ouvidos, mas principalmente seu coração. Se você já conhece uma música assim, reproduza essa música em sua mente, tente cantar junto para ativar essa nova atmosfera.

Vou deixar aqui, no fim deste pilar, um QR Code para que você, caso queira, possa acessar dez canções que ouço e que vão ajudá-lo a criar essa atmosfera.

Com a nova energia que você criará a partir deste momento de louvor, será possível ativar a sua fé, e assim conectar o seu espírito ao Espírito Santo.

É claro que pode acontecer de você estar num lugar onde seja impossível reproduzir uma dessas canções. Mas isso não é problema. O simples fato de você ter a música em sua mente, sobretudo se você a memorizou, já é suficiente para criar essa nova atmosfera. Por isso é importante praticar o método com frequência.

Lembre-se de que o Método Sou não é uma fórmula que você usa apenas quando se encontra em alguma situação difícil. É claro, como eu disse, que você poderá usá-lo em qualquer situação complicada, sempre que precisar. Mas ele será muito mais eficaz se você o adotar como parte de sua rotina, ritualizando cada um dos passos aqui descritos. É por isso que, se você praticar diariamente o Método Sou, sempre que precisar se lembrar de alguma canção, isso não será problema, já que você irá conhecê-las de cor e as terá memorizadas no seu coração.

Pensar, cantar e expressar esse canto de louvor são o meio mais rápido para ativar o canal de comunicação entre o seu coração e o Espírito de Deus. Quando canta, você ora e louva o Espírito do Senhor, ativando seu campo espiritual e acionando os gatilhos interiores que lhe colocam em contato com essa outra atmosfera.

O que você ouve muda completamente a sua atmosfera, seja para o sobrenatural, para a paz ou para a opressão e tristeza.

Falei no capítulo anterior sobre a importância de ouvir, e como isso pode mudar completamente o seu dia. Atualmente, só ouço músicas que alimentam o meu espírito e empoderam a minha mente. **A música tem o poder de mudar o seu estado de fracasso para o estado de poder; de mudar o estado de tristeza para o de alegria, do impossível para o possível.** Trago isso para minha atividade física, para as viagens que faço, ou para quando estou dirigindo. Meus ouvidos só recebem bons alimentos, e esses alimentos vão direto para a minha mente, e seguem direto para o meu coração, fazendo com que eu me sinta pleno e muito próspero.

Acesse o QR Code e busque a playlist.

3. Ligação direta: fale com quem manda em tudo (abra sua boca)

Como eu disse acima, um dos propósitos gerais do Método Sou é criar um canal direto com Jesus, esteja onde estiver. E aqui vamos falar disso. Você não precisa recorrer a nenhum santo, a deuses, a nenhuma entidade, a ninguém em especial para falar das coisas que precisa. Isso aprendi ao longo da minha jornada empresarial. Descobri que perdia muito tempo falando das coisas que mais precisava com pessoas que não tinham nem poder ou capacidade para decidir. Eu falava com intermediários, pessoas que não mandavam, ou que eram mandadas ou subordinadas aos donos ou CEOs das empresas. Participei de inúmeras reuniões com pessoas assim até compreender por que eu tinha tanta dificuldade em fechar grandes negócios, ou por que muitas coisas na minha vida não andavam ou ficavam travadas.

O que acontecia é que a negociação, por melhor que fosse, emperrava na *incapacidade* do seu interlocutor intermediário decidir. O intermediário, vale lembrar, nunca decide nada; ele apenas encaminha as coisas, às vezes de forma favorável, outras vezes não. Se você tem uma ótima ideia ou um excelente projeto, você não vai conseguir fazê-lo decolar se estiver negociando com a pessoa errada, ou com intermediários da pessoa que realmente manda. Você precisa ter uma ligação direta com a pessoa que decide. Essa deve ser a ligação que você precisa estabelecer com Jesus. **Você precisa criar o livre acesso para falar com aquela pessoa que tem o poder.**

Eu pergunto: Quem de fato é o dono de todas as coisas? Quem ressuscitou no terceiro dia? Quem vive hoje e tem o poder de transformar a sua vida?

Essa pessoa é Jesus, é com ele que você precisa falar, sem intermediários, na hora que quiser ou precisar.

Sei que talvez você tenha suas próprias crenças, seus santos protetores e rituais. Se você tem fé nos seus santos, em Nossa Senhora, nos deuses que quiser, tudo bem. Porém saiba que você tem o poder e a permissão para falar diretamente com Jesus Cristo, que é quem por fim e ao cabo tem o poder de decidir e mudar.

Esse conceito de ligação direta que trago no Método Sou tem a finalidade de abrir esse canal entre você e Jesus. Tem muita gente que acha que Deus não tem tempo para elas, que Jesus está distante delas, ou presente somente na igreja. Isso não é verdade, e a prova está justamente na ligação direta, nesse canal que você pode estabelecer com Jesus e por meio do qual pode falar livremente com Ele, onde quer que esteja, se estiver só ou acompanhado, a qualquer momento. Mas, se você quer intimidade, basta ativar seu lugar secreto, aquele espaço só seu, um lugar que permita a você se concentrar, silenciar sua mente e chamar Jesus para uma conversa direta, mais íntima, em que você possa abrir seu coração e contar seus maiores medos, sonhos, pecados e aflições. Peça para ele assumir o controle de tudo isso, sem intermediação.

Quando, em minha jornada, descobri que para fazer os meus trabalhos ou desenvolver meus projetos eu precisava falar diretamente com presidentes, CEOs, ou com as pessoas que realmente mandavam e decidiam, parei de recorrer às pessoas que apenas faziam a ponte. Sem intermediários, a ligação era direta, eu ganhava tempo e descobria exatamente o que precisava fazer para conseguir o que queria.

Hoje só falo diretamente com o dono, com o presidente, que é Jesus. Ele está disponível o tempo todo, a qualquer momento. Lembro aqui, o que o próprio Pai disse:

> "[12]Naqueles dias, quando vocês clamarem por mim em oração, eu os ouvirei. [13]Se me buscarem de todo o coração, me encontrarão."
>
> Jeremias 29:12-13

Em suma, você não precisa recorrer a ninguém para chegar ao pai. Basta chamá-lo e ele estará ao seu lado.

> "Jesus disse: 'Eu sou o caminho, a verdade e a vida. Ninguém pode vir ao Pai senão por mim.'"
>
> João 14:6

4. Aprendendo a guerrear (batalha espiritual)

Esse é um ponto estratégico do Método Sou. E, para que ele seja eficaz, você precisa compreender que tudo o que aparece em sua vida no mundo terrestre acontece primeiro no plano espiritual. Vale a pena aqui mencionar as palavras de Paulo aos Efésios:

> "[12]Pois nós não lutamos contra inimigos de carne e sangue, mas contra governantes e autoridades do mundo invisível, contra grandes poderes neste mundo de trevas e contra espíritos malignos nas esferas celestiais."
>
> Efésios 6:12

Isso quer dizer que você não está aqui para lutar contra nenhum ser vivo da Terra. A sua luta é contra principados e potestades no reino espiritual. Mas o que isso significa?

Acredito que todo ser humano, dentro do seu coração, dentro da sua verdadeira essência, é puro; todo o ser humano é bondoso, é amado e amável. Todos nós, indistintamente, nascemos assim, puros e bondosos. Porém, no decorrer da vida, durante as jornadas da infância e da adolescência, o ser humano acaba se contaminando, como se o espírito dele fosse roubado. Quando isso acontece, a carne entra no comando do ser, e o espírito se torna refém do mundo.

Sem entrar em muitos detalhes, esse ser passa então a ser tentado, e de tal forma que toda a sua vida é tomada e dominada pelas tentações. O corpo e a carne — o desejo da carne — se rendem aos apelos do mundo. Em resumo, o *ser* está vulnerável, e é susceptível a qualquer tipo tentação. Essas tentações e desejos são frutos dos principados e potestades que estão no mundo. São as armadilhas em que caímos quando achamos que estamos no controle de nossas vidas.

A única arma que temos para entrar nessa batalha espiritual contra principados e potestades é Jesus, o nome mais poderoso que existe na face da Terra. Jesus nos deixou aqui com o Espírito Santo de Deus, que é o Espírito encorajador (João 14:16): "E eu pedirei ao Pai, e ele lhes dará outro Encorajador, que nunca os deixará." Esta é a força que vai nos defender e nos fortalecer na batalha que temos pela frente. Quando você pronuncia o nome de Jesus Cristo, instantaneamente você se arma para a batalha contra o inferno. Nessa luta, Jesus sempre vence. Se você está com Ele, você também vencerá, e de tal modo que o inferno deixa de ter legalidade sobre a sua vida.

É importante dizer isso aqui, porque a maioria das pessoas acredita que apenas o líder espiritual (um pastor, um padre, um diácono) tem o poder de enfrentar esses principados e potestades, de expulsar demônios, de abençoar a sua vida ou de declarar a cura para você. Não, isso não é verdade. É claro que esses líderes têm também esse poder, mas eles não são os únicos. Você também é dotado desta força, tão logo você esteja de mãos dadas com Jesus, pratique sua palavra e o traga para junto do seu coração.

Jesus não escolheu e nem definiu nenhum líder ou religioso para andar com ele. Jesus escolheu pessoas comuns. E mais: disse a elas que poderiam fazer as mesmas obras que ele, Jesus, fazia, e coisas ainda maiores, desde que acreditassem nele.

> "¹²Eu lhes digo a verdade: quem crê em mim fará as mesmas obras que tenho realizado, e até maiores, pois eu vou para o Pai. ¹³Vocês podem pedir qualquer coisa em meu nome, e eu o farei, para que o Filho glorifique o Pai. ¹⁴Sim, peçam qualquer coisa em meu nome, e eu o farei!"
>
> João 14:12-14

Se sua fé for do tamanho de um grão de mostarda, ainda assim você será capaz de mover uma montanha. Se você acredita no poder de Jesus, este poder estará com você, e você será capaz de fazer tudo o que quiser. Como está dito no evangelho de João:

> "Eu lhes falei tudo isso para que tenham paz em mim. Aqui no mundo vocês terão aflições, mas animem-se, pois eu venci o mundo."
>
> João 16:33

Sua guerra não é contra o sangue e nem contra a carne, mas contra os principados e potestades, vale repetir. Saiba que existem os mundos terrestre e espiritual, como instâncias opostas, mas interligadas. A partir do momento que você entrar no reino espiritual, em nome de Jesus, você será capaz de saquear o inferno e trazer para si tudo o que sentir que foi desviado de você. Pessoas que têm vícios, que têm seus casamentos destruídos, pessoas que prosperam e perdem tudo de maneira recorrente, que estão sempre em conflito e que não encontram nunca a paz, quando elas estão numa batalha espiritual em nome de Jesus Cristo, passam a ter o poder de quebrar toda essa sucessão de reveses.

Isso acontece da seguinte forma: a pessoa identifica tudo o que travava ou está travado em sua vida e começa a dar ordens, expulsando todo o impedimento por meio da oração de autoridade.

Fique de pé, levante suas mãos, e diga:

> "Pai, em nome de Jesus Cristo, eu entro no reino espiritual agora e dou ordens e delego, não no meu nome, mas no seu nome. Todo e qualquer espírito das trevas que esteja me perseguindo, que esteja interferindo, toda seta do inferno que esteja dominando a minha mente, agindo na minha família, no meu casamento, nas minhas finanças, eu ordeno: retire-se, AGORA; parta em retirada AGORA, em nome de Jesus Cristo, pelo poder do nome do Senhor.

> "Toda opressão do inferno saia em nome de Jesus!

> "Toda depressão, síndrome do pânico, saia AGORA, em nome de Jesus!

> "Todo espírito da morte saia AGORA, em nome de Jesus!

> "Eu declaro que eu tenho vida, e mais: vida em abundância em nome de Jesus."

Esse tom incisivo e firme é fundamental. Você está numa batalha espiritual, você está lutando contra principados e potestades. Não existe meio termo nem delicadezas aqui. Por isso é importante pedir e rogar em nome de Jesus Cristo, dizendo enfaticamente que tais espíritos não são bem-vindos em sua vida. Você deve dizer:

"Eu não aceito, não dou liberdade e nem permito sua ousadia de estar aqui. Aqui não é o seu lugar. Saia agora, em nome de Jesus!"

E, agora, termine com gratidão:

"Senhor Jesus, eu quero agradecer, e em tudo eu te dou graças, entrego cem por cento da minha vida em tuas mãos, entrego todas as áreas da minha vida em tuas mãos, eu aceito e reconheço o Senhor como o único e suficiente salvador da minha vida. Amém!"

Como está nas escrituras, o nome de Jesus é muito poderoso. Não é de hoje que o demônio treme ao ouvir o nome de Jesus. Há inúmeros relatos que contam que a simples menção do nome Jesus transformava tudo. Diante de um enfermo ou de alguém atormentado no espírito, bastava Jesus dizer "Saia, se afaste" para os maus espíritos, e o enfermo ou o atormentado se recuperava. Portanto, a batalha espiritual que falo no Método Sou consiste em acessar o reino espiritual, em nome de Jesus Cristo, e expulsar principados e potestades de sua vida.

É possível que você já tenha vivido experiências como essas. Talvez você se pergunte: quem eram ou o que são esses principados e potestades? Pois bem, pense nos vícios que impediram você de ter paz e de se realizar em sua vida; pense na cobiça por bens materiais, na luxúria, na ganância, nas blasfêmias, em todo tipo de excesso, e você identificará cada um desses principados e potestades.

Os inimigos ocultos estão em toda parte no mundo. Você não precisa temê-los, porque se estiver com Jesus poderá enfrentá-los. O que você precisa fazer é abraçá-los, guerrear conta eles, e expulsá-los de sua vida. A própria palavra já nos deu a liberdade:

> "[4]Filhinhos, vocês pertencem a Deus e já venceram os falsos profetas, pois o Espírito que está em vocês é maior que o espírito que está no mundo. [5]Eles pertencem a este mundo, portanto falam do ponto de vista do mundo, e o mundo os ouve. [6]Nós, porém, pertencemos a Deus. Quem conhece a Deus nos ouve, mas quem não conhece a Deus não nos ouve. Desse modo sabemos se alguém tem o Espírito da verdade ou o espírito do erro. [7]Amados, continuemos a amar uns aos outros, pois o amor vem de Deus. Quem ama é nascido de Deus e conhece a Deus. [8]Quem não ama não conhece a Deus, porque Deus é amor. [9]Deus mostrou quanto nos amou ao enviar seu único Filho ao mundo para que, por meio dele, tenhamos vida."

1 João 4:4-9

5. Prosperidade, paz e poder (declaração: o poder da palavra)

Nesta parte do Método Sou, todo o seu ser está envolto no Espírito de Jesus. Aqui vem a oração propriamente dirigida para a sua vida. Você deverá agora declarar como será seu dia, falar das coisas que quer e que precisa e de como irá se preparar para alcançá-las. Essa é uma etapa importante do método. E aqui cabe lembrar uma passagem do livro do

Gênesis, exatamente quando Deus criou o mundo. Você sabe como ele fez isso? Pois bem, Ele fez isso declarando, *dizendo* o que Ele queria.

Veja este trecho:

> "³Então Deus disse: 'Haja luz', e houve luz. ⁴E Deus viu que a luz era boa, e separou a luz da escuridão. ⁵Deus chamou a luz de 'dia' e a escuridão de 'noite'. A noite passou e veio a manhã, encerrando o primeiro dia.
>
> "⁶Então Deus disse: 'Haja um espaço entre as águas, para separar as águas dos céus das águas da terra'. ⁷E assim aconteceu. Deus criou um espaço para separar as águas da terra das águas dos céus. ⁸Deus chamou o espaço de 'céu'. A noite passou e veio a manhã, encerrando o segundo dia.
>
> "⁹Então Deus disse: 'Juntem-se as águas que estão debaixo do céu num só lugar, para que apareça uma parte seca'. E assim aconteceu. ¹⁰Deus chamou a parte seca de 'terra' e as águas de 'mares'. E Deus viu que isso era bom."
>
> **Gênesis 1:3-10**

Observe que Deus criou o mundo apenas declarando esse desejo: "Haja luz." E a luz se fez. Ou seja, Deus declarava sua intenção e desejo, dizendo imperativamente o que queria. Da mesma forma, você deve entrar em oração declarando o seu desejo, expressando claramente o que quer. Por exemplo: "Que haja abundância!"; "Que haja prosperidade!"; "Que haja paz no meu dia!"; "Que haja amor!"; "Que haja pessoas que me ajudem a crescer como nunca cresci!"; "Que eu tenha uma visão espiritual como nunca tive!"; "Que a minha casa seja uma extensão do céu na Terra!"; "Que os meus filhos sejam luz neste mundo!"; "Que o meu casamento está guardado por ti, pai!"; etc.

Diga o que você quiser, chame para a existência o que você não tem como se já tivesse, e crie seu futuro sobrenatural.

A vida e a morte estão nas palavras e no poder do homem de declarar. A oração nada mais é que a oportunidade de você declarar seus pensamentos, desejos, rasgar seu coração aos pés de Jesus e trazer Jesus para o seu dia.

A oração é um alimento diário do seu espírito. Esse é um aspecto importante: a oração é sempre atual, deve ser feita sempre *hoje*, isto é, todo dia. Se for comer amanhã o pão que você compra hoje, fresquinho, na padaria, ele estará murcho ou duro. Isso significa que tanto eu como você precisamos buscar Jesus todos os dias, e alimentar o nosso espírito todos os dias. Quando você ora no dia de hoje, sua declaração precisa ter como referência o dia de hoje, como você quer que este dia seja. Por isso esse é um exercício diário tão importante, e pelo qual seu espírito anseia. Amanhã você irá orar pelo amanhã. Hoje, como eu disse, você declara o seu desejo: peça por saúde plena em sua vida, peça pela cura para as coisas que precisam ser curadas, peça que haja amor em suas relações e alegria em todo o seu dia. Preste atenção: uma hora de oração equivale a sete dias de trabalho duro. Portanto, ore mais e trabalhará menos. Acredito que você tem feito o contrário, acertei? Trabalhando muito e orando quase nada.

Pontos importantes: não declare o que você não quer, e sim somente o que você quer. É importante usar o verbo haver ("haja"), porque foi com este verbo que Deus criou o mundo:

"Então Deus disse: 'Haja luz', e houve luz."

Gênesis 1:3

Tudo o que você pedir em nome de Jesus será realizado; nas palavras de Deus:

> "Eu darei a vocês todo o lugar em que pisarem, conforme prometi a Moisés."

Josué 1:3.

Com isso, você começa a falar das coisas que quer realmente viver neste dia, e aos poucos vai entrando em outras áreas, nas coisas da sua rotina, nas coisas da sua empresa, dos seus projetos, dos seus sonhos, pedindo para que as pessoas que possam ajudá-lo em sua trajetória permaneçam em sua vida — e que sejam afastadas aquelas que só atrapalham —, e assim por diante.

Nós dizemos oração, mas o que estou propondo a você é que converse com Jesus. Esteja onde estiver, converse como se conversasse com um amigo, fale de suas angústias, de suas vontades, das coisas que acredita, e peça, sobretudo, para que Ele esteja com você neste dia, de tal forma que você se sinta plenamente abraçado por Ele.

Mas lembre-se, não peça a Jesus como se fosse um coitadinho, ou alguém desamparado e injustiçado, e nem como se fosse fazer trocas ou barganhas. Jesus não precisa negociar nada com você; Ele é Deus, e Ele pode tudo! Jesus também não dará nada que você não esteja preparado para receber; primeiro você se prepara, depois você recebe. Tudo o que Deus der a você virá em forma de semente. Porque a semente cabe em suas mãos, e você poderá plantá-la e cultivá-la (essa é exatamente a etapa de preparação); e depois poderá colher seus frutos.

Portanto, você poderá pedir a semente que quiser: a semente para ser um milionário ou a semente para ser um completo falido. A escolha é sempre sua e estará em suas mãos.

Vale destacar aqui um conceito importante sobre como se estabelece essa relação entre você e Jesus durante a oração. Deus é triunfo. Ele é Deus como Pai, ele é filho como Jesus, e Ele é Espírito Santo. Isso porque, quando Jesus partiu, ele deixou na Terra o Espírito Santo, o Espírito Santo de Deus, também chamado de Espírito Santo Encorajador. Isso significa que o pedido para a presença de Jesus em sua vida diz respeito a vivenciar a presença do Espírito Santo dentro de você. Nesse momento, você passa a ter a imagem e a semelhança de Cristo, com a sua mesma natureza. Significa que a partir desse momento nós passamos a ser pequenos Cristos na Terra. Se você traz o Espírito Santo para morar dentro de você, então você começa a ficar mais parecido com Ele. Isso acontece por uma razão muito poderosa: você se torna semelhante àquilo ou aquele que adora.

Portanto, peça como alguém que tem fé, que acredita no poder de Deus, que entrega a vida nas mãos dele, e sabe que alcançará tudo o que pedir. Porque, se você está com Jesus, ele sem dúvida alguma estará com você também.

Lembre-se: você tem o poder de orar não só por você, mas pela sua família, por seus amigos, inimigos, políticos, enfermos, ou seja, por todo o mundo. **Abrace as pessoas com a sua oração, pois ela é poderosa!**

Acesse o QR Code e veja um modelo de oração para adaptar em sua vida.

6. Gratidão
(a chave da plenitude e da abundância)

É hora de agradecer, pois este é o pilar da gratidão. Essa é uma manifestação permanente. Você deve agradecer e ser grato como se tudo o que deseja já tivesse se concretizado em sua vida. Esse passo é importante porque você está criando uma atmosfera espiritual, e a gratidão é parte essencial dessa energia.

Dentro daquela atmosfera de adoração, feche os seus olhos, pense que Jesus abraçou você, e imagine que está tomando posse de tudo o que você orou, de tudo o que pediu em sua conversa com Jesus, e de tudo o que Ele colocou em sua vida no dia de hoje. Você pode dizer as palavras a seguir (adaptando-as para a sua realidade): seja grato pelo maior número de coisas que puder.

> "Senhor, sou grato pela minha vida hoje, sou grato pelo ar que respiro, grato pela cama em que me deitei hoje, pela fartura de minha mesa, sou grato pela família que tenho, pelos amigos que tenho, sou grato pelo deserto que atravessei hoje, sou grato pelas aflições que estou passando, pelos obstáculos que tenho de atravessar, pela vida abundante, pelas conquistas, sou grato por você estar comigo e me ajudar nesta caminhada."

Seja lá o que for, agradeça por tudo, porque tudo é parte de sua jornada. As aflições são parte do processo de crescimento, assim como as tentações, e você terá de enfrentá-las. A boa notícia é que Jesus venceu o mundo, e se Ele está com você, você também vencerá.

Talvez você se pergunte como poderá agradecer por algo que ainda não recebeu.

Parece estranho, não? Mas lembre-se de que eu disse que Deus não barganha, Deus não faz joguinhos. Da mesma forma, tudo o que aparece em sua vida, no mundo terrestre, acontece primeiro no plano espiritual. Portanto, a gratidão é um ato do espírito, é um momento em que você expõe tudo o que acontece, e quer que aconteça, de uma maneira grata, reconhecendo os feitos, o dom da vida e o próprio ato de viver. Quando você agradece, essa energia, somada aos momentos de oração e adoração, dá força a você. O que você pensa se transforma em realidade, com a presença de Jesus.

Para conseguir tudo o que deseja, você precisa primeiramente ser grato. Se você quer alegria, você precisa dar alegria e sorrir para as pessoas que estão a sua volta, e ser grato por isso. A consequência desse ato é a realização do seu desejo.

A palavra de Jesus vai justamente nesse sentido, quando diz:

> "[17]Nunca deixem de orar. [18]Sejam gratos em todas as circunstâncias, pois essa é a vontade de Deus para vocês em Cristo Jesus."

> 1 Tessalonicenses 5:17-18

Existem três tipos de pessoas: as que não acreditam no milagre, ou não têm fé — estes são os incrédulos; as que acreditam simplesmente no milagre, como um ato fortuito, uma obra do acaso; e há, sobretudo, aquelas que geram o milagre, que geram uma vida sobrenatural. São elas que chamam à existência o que não é como se fossem os que oram, louvam, vibram e celebram a palavra de Jesus. Estes, fundamentalmente, são gratos o tempo todo.

Quando estão no deserto, dizem: "Senhor, me diga, me mostre o que estou aprendendo, e onde está a oportunidade aqui." Quando dizem isso, o pressuposto é básico: elas não estão sozinhas. Quando você tem uma dificuldade pela frente, a garantia de que irá passar por ela é a presença de Jesus em seu coração.

Se você não agradece, ou não celebra, não reconhece o aprendizado nos momentos de vitórias ou derrotas; sua energia sempre tenderá a ir para baixo. Você enfraquecerá a ponto de duvidar se conseguirá ou não seguir em frente e superar os obstáculos que encontrar.

Você conhece algum atleta que entra numa prova duvidando que vai ganhá-la?

Quando você é grato, sua fé é inabalável. Não importa o tamanho da tempestade, você sabe que conseguirá atravessá-la porque não estará sozinho. A gratidão é o cimento da fé: você agradece pelo que já acontece e pelo que vai acontecer. Sua fé se torna inabalável dia após dia. Sua confiança cresce, sua autoestima aumenta, você se realiza como ser e criatura à imagem e semelhança de Deus.

Dê sempre glória a Deus!

Vou entregar agora a você a maior chave da prosperidade que nunca ninguém lhe contou. Preste atenção: Jesus estava no mar da Galileia, mais precisamente em Tiberíades, e uma grande multidão o seguia, porque via os sinais que ele operava sobre os enfermos. E naquele momento Jesus subiu ao monte e assentou-se ali com seus discípulos, e logo levantou os olhos. Vendo que uma grande multidão vinha para estar ali com ele, ele disse a Felipe: "Onde compraremos pão para estes comerem?" Aqui, nessa pergunta, Jesus estava experimentando a fé e a mentalidade de Felipe.

Felipe respondeu: "Duzentos dinheiros de pão não lhes bastarão, para que cada um deles tome um pouco."

Em seguida chega outro discípulo, o André, e diz: "Olha, Jesus, temos aqui um rapaz que tem cinco pães e dois peixinhos; mas que é isto para tantos?"

A visão e a mentalidade dos discípulos estão no problema, na limitação, no natural.

Agora pegue a visão e mentalidade de Jesus.

Naquele momento, tinham quase cinco mil homens ali. Jesus pegou os pães, e aqui está a chave mais poderosa da prosperidade.

A passagem diz o seguinte:

> "[11]Então Jesus tomou os pães, agradeceu a Deus e os repartiu entre o povo. Em seguida, fez o mesmo com os peixes. E todos comeram à vontade. [12]Depois que todos estavam satisfeitos, Jesus disse a seus discípulos: 'Agora juntem os pedaços que sobraram, para que nada se desperdice'."

João 6:11-12

Repare que Jesus pegou os pães e, em primeiro lugar, ele deu *graças* pelo pouco que tinha, porque Jesus sabe que é impossível haver multiplicação sem o princípio da gratidão. "Foste fiel no pouco, ou seja, foste grato no pouco, no muito vou te colocar." Jesus sempre foi um gerador de milagres, e nunca esperou pelo milagre. Jesus chama à existência o que não tem como se tivesse, ou seja, ele cria visão e mentalidade no sobrenatural.

A gratidão é a oportunidade de você olhar o que tem e agradecer, em vez de se lamentar pelo o que não tem. A fórmula da infelicidade é a seguinte: foco tudo o que não tenho, e o meu coração fica amargurado e triste por isso. Já a fórmula da abundância sobrenatural de Jesus é a seguinte: olhar para o que tenho e dar graças e profetizar a multiplicação. Eu agradeço porque sei que será multiplicado.

Liste aqui 7 coisas pelas quais você é grato ou quer multiplicar. Escreva dando graças:

1º.
2º.
3º.
4º.
5º.
6º.
7º.

7. Mate seu caos e silencie sua mente

Este sétimo pilar tem a função de ajudar você a meditar e a acalmar a mente em qualquer momento do seu dia. Se aplica nas situações em que a pessoa tem um turbilhão de pensamentos acelerados, desconexos, que não param nunca, indo de um assunto a outro, de forma ilógica, sem que ela consiga dar conta de cada um deles; é o momento que você perde o controle da sua mente. Quando isso acontece, a pessoa não consegue ter foco, não consegue se concentrar, descansar, dormir e não consegue ter paz. É o que chamo de caos mental. A mente é tomada por todas as informações e preocupações do dia a dia, de um modo ininterrupto e acelerado, beirando o desespero.

Aqui é preciso silenciar a mente e encontrar espaços para a paz.

Mas por que isso acontece?

São várias as razões. Ao longo de nossa história, nunca vivemos numa era com tanta pressão mental como vivemos agora. Estamos na era da informação, e somos bombardeados dia e noite com notícias, descobertas, lançamentos, instabilidade política, novidades de toda a espécie, em todas as áreas da vida, do conhecimento, do entretenimento etc. É claro que no meio disso existem coisas interessantes, mas, como você já deve ter reparado, a imensa maioria dessas novidades quase não tem nada a ver com a nossa vida ou com as nossas necessidades essenciais. Na maior parte dos casos, são informações e notícias que reforçam o lado consumista de nossa vida (com propagandas, chamadas e anúncios) ou aquele lado mórbido que busca despertar nossa curiosidade sobre o que acontece em determinados círculos da sociedade e a respeito da vida dos outros. Vale dizer que 95% dessas informações estão na internet, disponíveis em nossas redes, em nossos celulares, ou seja, na palma de nossas mãos.

Nessa imensidão de assuntos, não há tempo para discernir o que é bom daquilo que nos perverte. Quando tentamos prestar atenção em algo, logo outra coisa aparece e nos tira o foco. Ficamos assim rendidos. Nesse cenário, o caos impera em nossa mente. E de tal forma que ela acaba sendo controlada por esse turbilhão, sem que seja possível fazer alguma coisa para interrompê-lo. Num certo sentido, é a sua mente que passa a governar a sua vida — o que faz com que a sua vida também se transforme num outro tipo caos, no qual você mergulha mais ainda tentando encontrar algum tipo de paz. Às vezes, você até encontra, mas é algo passageiro, sem consistência, ligado apenas aos apelos da carne, como os vícios.

O que as pessoas não entendem é que quem deve governar a sua mente é você. Só que você não é apenas a sua mente. Você é muito mais que ela, e precisa estar no comando, dirigindo a sua vida para as coisas que realmente importam e não o contrário. Quando a pessoa está sob o domínio do reino da carne, ela quer mais informação, não consegue ficar em silêncio, vai dormir e a mente não para; o corpo descansa, mas a mente não para, ela acorda e já está ligada. E, pior, às vezes a própria pessoa, estimulada por essa avalanche de informações, acaba indo atrás de mais notícias e novidades, seja na televisão, na internet, nas redes sociais, ou em qualquer outra parte. É um círculo vicioso, que se retroalimenta, e que acaba tomando conta da sua vida.

É nesse ponto que você precisa silenciar a sua mente. E o único jeito é fazer com que sua mente trabalhe a seu favor. O primeiro passo é esse: meditação.

Aqui proponho a você usar a técnica da meditação Ho'oponopono, termo que significa "pôr a mente em ordem e descartar o que não serve". É uma técnica poderosa que desenvolve sua autorresponsabilidade e o perdão pessoal. O fio que dá sustentação à técnica está na respiração. Você precisa se concentrar na sua respiração, de forma que todos os pensamentos ou qualquer coisa não relacionada à respiração fique de fora da sua mente. Você deve imaginar que uma luz branca vem em direção à sua cabeça — essa luz sai das mãos estendidas de Jesus e entra na sua cabeça, desce até a sola do seu pé, iluminando todo o seu corpo. À medida que você inspira profundamente, essa luz brilha e ilumina cada vez mais sua mente e seu corpo e, quando você expira pela boca, sai de dentro de você uma espécie de fumaça cinza. Pense concentradamente nisso, na sua respiração e na luz que vem das mãos de Jesus, pois ela irá envolver você nesse exercício. O exercício todo deve levar algo perto de 5 a 15 minutos, divididos em cinco etapas, de 1 a 3 minutos cada uma:

1. Respiração

Inspire profundamente, segure o ar por cinco segundos e expire por mais cinco segundos. Se esforce para não pensar em nada. Faça isso sete vezes.

2. Unção

Quando você soltar o ar pela boca, pense no sentimento que quer sentir, por exemplo: solte o ar pensando em paz, amor, força ou potência.

3. Amor

Imagine que do coração de Jesus sai uma luz branca de amor, a qual invadirá diretamente o seu coração. À medida que você inspira e expira essa conexão, a luz fica mais forte. Faça isso por dez vezes, e em seguida pense em três pessoas que você quer dar o seu amor, e imagine esse amor saindo do seu coração, como uma luz branca que vai até o coração de uma dessas três pessoas. Faça isso individualmente durante um minuto para cada uma dessas pessoas.

4. Gratidão

Agora imagine que sai dos braços de Jesus uma luz branca que vai abraçá-lo. Você se sentirá grato(a) pelo dom da vida de hoje, e à medida que você inspirar e expirar, essa luz aumentará e você sentirá o abraço de Jesus lhe envolvendo. Sinta esse abraço com todo o seu coração. Faça isso por dez ciclos de inspiração e expiração. Agora, escolha três coisas para você ser grato hoje. Pode ser o ar, a cama na qual se deitou, alguma conquista, alguém que você ama, um prato de comida, enfim, escolha três coisas para você agradecer individualmente e sentir gratidão. Veja como você é abundante! E dê graças a tudo isso!

5. Respire

- Volte a se concentrar na respiração.
- Valorize o silêncio.
- Encontre a paz.

Faça tudo isso sentado em uma cadeira, de olhos fechados, com louvor (caso queira, acesse minha *playlist*). Concentre-se na sua respiração. Vão aparecer os mais diversos pensamentos. Agradeça por esses pensamentos e foque sua respiração. Lembre-se de que você está no comando da sua mente e não ao contrário!

Acesse o QR Code e busque a playlist.

Esse é um exercício que você deve incorporar em sua rotina. Todo dia pela manhã, assim que acordar, faça esse exercício. É claro que no começo você terá dificuldade para conseguir se concentrar, e isso é bem natural. Mas a prática aperfeiçoará esse exercício.

Outro ponto importante é que essa meditação pode ser feita a qualquer momento do dia. Se você se sentir tomado por aquele turbilhão de pensamentos, preocupações e pressão, pode tirar um ou dois minutos e fazer rapidamente o exercício; respirando até matar seu caos, aquietar sua mente, encontrar serenidade e voltar ao comando. Faça o exercício 2 (de unção) e escolha o sentido que quer sentir. Dependendo do momento, algumas pessoas irão fazer essa meditação algumas vezes por dia, outras farão apenas uma. O importante é incorporar essa prática em sua vida. Quanto mais você fizer essa meditação, melhor será seu dia e, consequentemente, sua vida.

Aponte a câmera do seu celular para o QR Code a seguir e receba instruções para guiar seu exercício de meditação.

Bem, agora você conhece o Método Sou e a nossa proposta. A ideia principal é que você tenha um relacionamento constante com Cristo de tal forma que Ele faça parte de sua vida livremente, sem amarras, regras e obrigações. Você precisa praticar o método para fortalecer esse relacionamento.

Acesse o QR Code e veja informações sobre o exercício de meditação.

Nas próximas páginas vamos aprofundar todos esses pontos.

Até lá!

▷ ▷ ▷

O SALTO

CAPÍTULO 3

— PARA A VERDADEIRA EVOLUÇÃO

"Você é apenas um consumidor da graça, mas a fonte da graça é Ele."

"Alavanque sua mente, emoções e espírito, e transforme sua vida definitivamente."

— **PYERO TAVOLAZZI**

Vamos falar agora sobre o sentido e a importância de alimentar diariamente o espírito. Houve um momento em minha vida em que, usando apenas a emoção e a razão, comecei a trabalhar de forma excessiva e descontrolada, buscando exclusivamente ganhar dinheiro, conquistar sucesso, realizar sonhos e exibir meu status, sem me preocupar com nada que não fizesse parte do mundo material. Na medida em que tentava também encontrar um significado para mim mesmo e para minha vida, passei a fazer isso de forma incansável, deixando de lado minha inteligência espiritual. Agora veja que curioso: os anos passaram e eu de fato ganhei dinheiro, conquistei sucesso e independência financeira, as pessoas sabiam quem eu era, mas eu, comigo mesmo, não me satisfazia. Eu mal acabava de conquistar algo, superar algum obstáculo, e logo queria algo mais, sem nunca me dar por satisfeito. Isso foi acontecendo de modo sucessivo, tornando-se um círculo vicioso em minha vida, com inúmeras conquistas, mas sem que eu realmente sentisse prosperidade e paz.

O que será que estava acontecendo?

Naquele momento, um contraste muito forte se destacou: percebi nitidamente que, no passado, quando não tinha nada, eu era muito mais feliz do que naquele momento que tinha acesso a tantas coisas materiais. E veja que interessante: **quando não tinha nada, eu, na verdade, tinha tudo.**

Tinha paz interior, plenitude e aquela espécie de riqueza que dinheiro nenhum no mundo é capaz de comprar. Quando percebi isso, fiquei intrigado, e comecei então a dar alguns passos para trás, tentando entender e reencontrar aquele Pyero. Estava em busca de mim mesmo, aquele jovem que antes tinha tudo e era feliz e que naquele momento havia se perdido.

Nessa época que conquistei tantas coisas, eu vivia exclusivamente pelo mental e pelo emocional. Buscava dinheiro, buscava riquezas, buscava sucesso e buscava prazer. Mal sabia eu que estava perdendo a minha maior riqueza.

Assim como muitos hoje em dia, eu confundia riqueza, poder e sucesso com paz, serenidade, amor e abundância. O primeiro grupo está ligado às coisas do mundo material. Já o segundo grupo faz parte das coisas do mundo espiritual.

Isso já aconteceu com você? De viver situações em que as conquistas materiais estão todas disponíveis à sua frente (casa, carro, poder, dinheiro, status social etc.), não falta materialmente quase nada em sua vida, mas você sente um vazio enorme? Muitas vezes, a insatisfação é tão grande que a única coisa que sobra é o desejo de conquistar mais, ganhar mais, descobrir algo novo em sua vida, porque o que você tem já não é mais suficiente para lhe dar alegria, paz e prazer. No entanto, você sempre acredita que a verdadeira plenitude está no próximo pote de ouro que você quer conquistar.

Foi o que aconteceu comigo, e foi nesse momento que eu caí.

Por mais de um ano vivi assim, tendo tudo e me sentindo infeliz, sem propósito, sem motivação, não vendo sentido algum na vida. Ou seja, eu só alimentava o meu ego e a minha significância, de modo que eu me sentisse ou me tornasse relevante para o mundo. Era uma ilusão.

Tentei me lembrar de como vivia antes e do que fazia quando não tinha nada, mesmo querendo ter tudo. E então me lembrei que eu costumava me conectar, todos os dias, com a Fonte, que é inesgotável. Eu me conectava sempre com Jesus, de uma maneira livre, sincera, sem religião. Conversava com Jesus, falava dos meus desejos, das minhas dificuldades, e isso preenchia todos os espaços. Quando deixei de fazer isso, mesmo obtendo uma série de conquistas, comecei a ficar fraco até me sentir vazio por completo.

Quando me dei conta desse abismo, voltei a falar com Jesus, voltei a compartilhar meus dias, minhas aflições, meus desejos e tudo o que acontecia comigo. E posso dizer que, em menos de dois meses, comecei a ver sentido novamente na vida, nas coisas que fazia, e até nas que desejava. Identifiquei, a partir desse momento, que eu não poderia viver para buscar ou fazer dinheiro, nem tampouco viver correndo atrás do que a minha mente e as minhas emoções definiam como prioridades de conquista. Antes de qualquer coisa, eu precisava alimentar o meu espírito, pois é ele que me traz a direção certa, plenitude, amor e paz — e não o dinheiro ou os bens materiais.

Faço aqui uma ressalva importante: conquistas materiais, assim como o dinheiro, são coisas relevantes, e fazem parte de sua vida. É importante deixar isso claro, porque é parte da sua trajetória, e em certo sentido é sua obrigação correr atrás e conquistar esses bens. O que você não deve fazer é transformar dinheiro e bens materiais em prioridades, como se você vivesse em razão dessas coisas e essas coisas se tornassem outro Deus na sua vida, a ponto de ser suas maiores prioridades. A sua prioridade essencial é alimentar seu espírito. Você deve fazer isso periodicamente, e depois trabalhar duro pelos seus sonhos, sejam eles quais forem. Se você quer correr atrás de uma vida financeira melhor, não há nada de errado nisso — na verdade, é algo positivo. Se você quer realizar seus sonhos, ter uma bela casa na praia, ou viajar pelo mundo, ou fazer sua empresa crescer, melhorar os seus relacionamentos etc., não há nada de errado nisso. Eu diria que é seu dever e obrigação lutar por isso, mas antes de tudo: alimente o seu espírito. Sem isso, nada fará sentido.

O Que É Prioridade em Sua Vida?

De modo geral, as pessoas não agem assim. Por exemplo, algumas estudam, fazem faculdade, investem em mestrados e doutorados, em prol de uma carreira, que, no limite, permitirá a elas ganhar mais e ter um status social que lhes permita dizer o quanto são importantes. Só que isso não significa ter paz de espírito, não significa ter plenitude, serenidade nem equilíbrio. Muitos, por agir assim, pensando só nas conquistas e nos bens materiais, deixam de conviver com seus familiares, põem seus filhos e cônjuges em segundo ou terceiro planos, enfraquecendo assim os laços e afetos, tornando-se solitários e melancólicos.

O que as pessoas fazem em situações como essas?

Desesperam-se, e tentam preencher o vazio com mais trabalho, com mais dinheiro, mais exibição de conquistas, mais desperdício.

O que Jesus fazia no meio do caos? Ele se retirava daquele burburinho, se afastava dos rumores, dos mexericos, deixava tudo para trás e andava pelo deserto, ou por algum monte afastado, onde se conectava com Deus, alimentava seu espírito e voltava depois para cumprir sua missão.

Quantos de nós conseguem fazer isso?

Se você não consegue se afastar do caos, como vai alimentar seu espírito?

Você só consegue fazer isso quando se encontra com Jesus, quando abre seu coração e encontra espaço para ouvi-lo, seguindo aquele último passo do Método Sou ("Mate seu caos e silencie sua mente").

É importante lembrar que a satisfação material atende a propósitos muito imediatos. Diversão, consumo, farras, vícios e conquistas materiais são ações de pouca duração. Alimentam a carne apenas temporariamente. Quando passam, ainda que alguns bens ou conquistas permaneçam, fica o vazio, o tédio, a angústia, às vezes até o arrependimento e a depressão.

Por isso digo que **o ser humano não foi feito para conquistar, mas para evoluir.** Quando você percebe isso, sua vida e o modo de olhar para ela mudam completamente.

Veja estas etapas: você nasce, depois de alguns meses começa a engatinhar, e já está inserido num processo de evolução. Então, você consegue ficar de pé sozinho, começa a caminhar, a comer, e segue evoluindo. Você aprende a falar, depois aprende a ler, a escrever, a se relacionar, a criar, sempre num processo contínuo de evolução.

Diferentemente das conquistas, a evolução estimula o ser humano, e o deixa vivo. É por meio da evolução que o homem se torna capaz, sábio e verdadeiramente poderoso.

Você já deve ter visto ou conhecido pessoas que sonham em se aposentar e, quando isso acontece, logo adoecem, ficam fracas e morrem. Sabe por que isso acontece? Porque elas pararam de evoluir como ser humano; pararam de ter propósitos na vida e se sentem inúteis — e isso não tem nada a ver com conquista, e sim com o que você aprende todos os dias.

✎ Nos últimos dois anos quais cursos, treinamentos e livros você terminou e que o fizeram evoluir?

Liste três ações que você pode fazer nos próximos meses para crescer dez vezes mais na sua vida:

1º.

2º.

3º.

Pense em todas as coisas que conquistou na vida — sua casa ou apartamento, seu carro, o dinheiro que tem em aplicações, enfim, em qualquer coisa material —, e vai perceber que você sempre está pensando em um jeito de melhorar ou multiplicar esses bens.

Por que isso acontece?

Porque o prazer que eles proporcionam tem pouca duração. Se você se alimenta unicamente desse prazer — desprezando as necessidades do espírito —, nunca irá se satisfazer, e sempre irá querer algo novo, melhor, mais eficaz, mais potente, como se isso fosse capaz de trazer a plenitude e a paz que o seu espírito precisa.

Na verdade, como disse acima, a explicação mais correta é que nós, seres humanos, não estamos aqui para conquistar, mas para evoluir. E só conseguimos fazer isso quando alimentamos diariamente o nosso espírito. Quando você conecta o seu espírito com o espírito de Jesus, sua energia muda, assim como também mudam sua determinação e sua vontade. Você traz para esse âmbito a alegria e a paz, a sensação de conforto e plenitude, a temperança e a bondade, não precisando mais do alimento material da carne para encontrar sentido em sua vida.

Se você não alimenta seu espírito, seu corpo acaba funcionando como um carro sem combustível. Você só anda com ele na reserva. A sensação de que "está faltando algo" é palpável, assim como a angústia é permanente, porque nunca há combustível suficiente para levá-lo aonde você deveria ir.

Já quando você se conecta com Jesus, isso não significa que os seus problemas vão terminar, mas apenas que você recarregará suas energias, sua força, ousadia, coragem e fé inabalável para superá-los. Assim como estará mais bem equipado para enfrentá-los. E não apenas isso: você terá alegria, paz, plenitude e vontade de continuar e superar todos os obstáculos. Voltando à imagem do carro, o alimento diário do espírito é como se você fosse todo dia ao posto e completasse o tanque com combustível. Você ganha muito mais pique para rodar, para empreender, para evoluir.

Como disse anteriormente, o alimento diário do espírito *não é* incompatível com a realização dos seus sonhos e desejos. O que acontece é que uma coisa potencializa a outra. A inteligência espiritual potencializa sua fé, que se torna inabalável, e com isso você passa a ter muito mais confiança naquilo que faz. Da mesma forma, você passa a se sentir espiritualmente muito melhor, com a sensação de plenitude e propósito. Quando os problemas aparecem, por maiores que sejam, sua disposição será outra, já que sua fé é inabalável, e essa disposição será muito mais favorável, no sentido de lidar com esses problemas e resolvê-los. Isso ativa suas emoções poderosas e transforma sua mente fraca ou normal em uma mente inabalável.

Quando está conectado, você acredita e sabe que as coisas sempre vão dar certo, pois não existe derrota nem a possibilidade de algo "dar errado". Existe ganhar ou aprender sempre. Isso porque você está ligado a uma fonte que vai suprir todas as suas necessidades espirituais. Se não for por meio de sua própria força, será pela força dessa fonte, que é Jesus Cristo.

Ocorre, porém, que a imensa maioria das pessoas não alimenta essa fonte. Eu diria que 98% das pessoas não sabem ou nem se preocupam com o sentido dessa fonte, que é a principal em nossas vidas. E acabam indo pela força do braço, como se diz, ou seja: pela inércia ou força natural.

Se somos espírito, temos uma alma e moramos neste corpo, cabe então perguntar:

✎ Como você alimenta seu espírito diariamente?

(Descreva o que faz quando cuida das coisas ligadas ao espírito.)

✎ Como você se sente quando alimenta seu espírito?

(Descreva suas sensações interiores, suas impressões e disposição.)

Se você se sente bem ao alimentar seu espírito, o que o impede de alimentá-lo todos os dias?

(Explique ou descreva o que o impede de dar mais atenção ao seu espírito no dia a dia.)

É claro que existem explicações imediatas e, digamos, palpáveis para que você não alimente o seu espírito, embora elas não se justifiquem. Mas veja que curioso: você já tentou orar por 15 ou 20 minutos e não conseguiu porque uma onda de sono o impediu? Você começa a orar e em alguns minutos começa a bocejar, os olhos ardem, o telefone toca, alguém lhe chama, os ruídos da rua invadem a sua mente, atrapalham e você se desconcentra. Às vezes você tenta orar, tenta se conectar com Jesus, mas sua mente perde o foco, é invadida por ideias e pensamentos que não têm nada a ver com aquele momento e, de repente, mas não tão de repente assim, você está pensando em outras coisas, sua atenção já se dispersou completamente e tudo o que você quer nesse momento é interromper a oração e voltar à "vida real". Talvez você já tenha passado por isso.

Quando isso acontece, muitos ativam o piloto automático da oração, repetindo rezas memorizadas, mas que perderam o sentido. Orações no piloto automático não funcionam, não servem para nada.

A verdadeira oração precisa vir do seu coração; é uma conversa nova todos os dias com Jesus.

Isso já aconteceu com você?
Conte, por favor, como foi essa experiência.

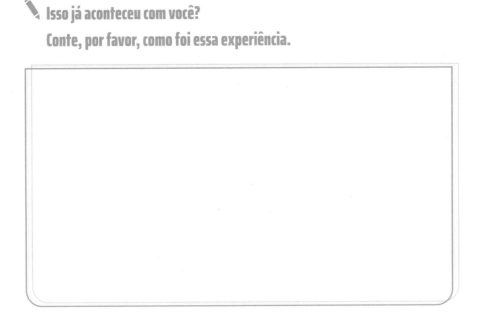

Sim, todos esses distúrbios de fato acontecem e, muitas vezes, impedem você de se conectar. Mas isso é parte de uma estratégia que nem sempre é clara para a maioria das pessoas. Para compreender o que acontece, você precisa reconhecer que faz parte do reino espiritual. E, nesse reino, sua luta não é contra a carne nem contra o sangue, mas contra *principados* e *potestades*, como expliquei ao descrever o Método Sou no capítulo 2. Neste reino, existe também uma força espiritualmente maligna que tenta impedir você de todas as formas de orar e de se dedicar todos os dias para alimentar o seu espírito. É essa força que o intercepta, das mais variadas formas, quando você tenta se conectar com Jesus. Lembre-se, você está numa batalha espiritual. Quando você alimenta o seu espírito, você vence a batalha de mãos dadas com Jesus, e, assim como Ele, passa a governar sobre a Terra.

Isso explica por que quando está orando ou alguém ora por você, você se fortalece. Quando está conectado, você governa e domina. Sua disposição muda, é favorável, não há nada que você não seja capaz de enfrentar quando está nos braços de Jesus.

As Quatro Dimensões da Evolução

O ser humano precisa evoluir em todas as suas dimensões. E essa evolução precisa acontecer em seus quatro mundos: no espiritual, no emocional, no mental e no físico. Quando você deixa de evoluir em algum desses mundos, é como se essa dimensão adoecesse e começasse a morrer.

Por exemplo, no mundo físico, se você não tiver uma alimentação regrada, seu corpo sentirá e sinalizará com dores, indisposição, sobrepeso e doenças. Se você não cuida do seu físico, não se exercita, ou abusa de sua saúde, da mesma forma o seu corpo sentirá isso e perderá vigor e energia até adoecer e se deteriorar.

1. O mundo físico

O antídoto para alimentar seu mundo físico: *preste atenção no seu corpo, ao que ele diz, ao que ele manifesta. Respeite seus limites, tente entender o que você come, seja regrado, faça exercícios, cuide do seu bem-estar, cuide deste templo precioso que Deus lhe deu.*

Eu me lembro de que fui procurar um nutricionista e um endocrinologista e eles me fizeram a mesma pergunta: Pyero, qual é o seu objetivo? E eu disse: amo a vida, quero chegar aos 100 anos com energia e vitalidade.

E você? Quer viver quantos anos?

A questão não é chegar aos 70, 80, 90 ou 100 anos. A pergunta aqui é: como você vai chegar lá? Lúcido e com energia ou 100% dependente de alguém, sem aguentar nem o peso de seu próprio corpo?

Pense nisso e cuide da sua saúde.

No mundo mental, se você deixa de aprender, para de estudar, ou de se interessar pelas coisas que dão significado inteligível à vida, a sua mente declina, estaciona e você vai aos poucos perdendo a capacidade de pensar e de raciocinar. É como se sua mente, intoxicada de futilidades, perdesse vigor e fosse morrendo dia após dia.

2. O mundo mental

O antídoto para alimentar seu mundo mental: *traga pensamentos positivos para a sua mente. Tente aprender com todas as coisas que lhe forem apresentadas. Faça disso um hábito permanente, leia e estude — e tire a palavra "não" da sua vida.*

Missões:

1. Leia pelo menos um livro a cada dois meses. Faça pelo menos três treinamentos por ano sobre algo novo e que queira aprender, para que você seja o "Número 1" no seu nicho.

2. Corte pelo menos duas coisas que você está assistindo na televisão, e que estão poluindo sua mente e roubando seu espírito: pornografia, novelas, filmes de terror, Instagram em excesso etc.

Considere seu mundo emocional. Se você se desconecta dos afetos, se sua sensibilidade se embrutece e o torna indiferente às pessoas, ao que acontece com elas, suas emoções também vão embrutecer e esterilizar, a ponto de você se tornar uma pessoa fria, desinteressada e impassível, como se estivesse anestesiada. Nesse mundo das emoções, nada florescerá.

3. O mundo emocional

O antídoto para alimentar seu mundo emocional: *conheça as pessoas que estão a sua volta, interesse-se por elas, se importe com elas. Seja empático, tente compreendê-las e, na medida do possível, ajudá-las em sua trajetória pelo mundo. E, principalmente, esteja ao lado delas sempre que elas precisarem.*

Cuidado com o outro significa que você está disposto a doar. Em todo acontecimento existe tanto o lado bom da história como o lado ruim, difícil e complicado. Lembre-se: é o lado bom que faz você sentir emoções poderosas.

Daqui a cinco anos, se você olhar para trás, vai dar risada dos seus problemas de hoje. Sabe por quê? Porque eles nunca existiram! Isso mesmo, você sempre foi maior que eles, mas nunca tinha percebido isso. Toda vez que um problema for maior que a sua alegria, paz e fé, bata no seu ombro esquerdo e fale: "Pequeno, pequeno, pequeno", pois assim você terá a ciência de que está sendo carnal e pequeno. Mas toda vez que você for maior que um problema, bata no seu peito e diga: "Eu sou gigante!"; "Eu sou gigante!"; "Eu sou gigante!" Isso irá lembrá-lo que agora é o seu espírito que está no controle.

Noventa por cento dos seus problemas sequer existirão. Como eu disse, esses problemas são criações da sua mente, que o fazem viver emoções mesquinhas e covardes em relação ao seu espírito e em relação aos seus dons e potencialidades, fazendo com que você se sinta derrotado, fracassado, traído, roubado e abandonado. Alguém com essas emoções pode ter sucesso ou paz? Claro que não. Então foque ser como Jesus foi. Ele se empoderava de todas as situações e nunca olhou o problema, e sim o milagre que estava por vir. Ele se sentia pleno e poderoso. E por isso dizia:

> "Eu sou a vida,
> eu sou a luz,
> eu sou o pão da vida,
> eu sou o caminho!"

Da mesma forma, o seu mundo espiritual será impactado negativamente se você deixar de alimentá-lo. Como tenho dito, se você se voltar integramente para o lado material da vida, seu espírito sofrerá. Se você eliminar todos os canais de contato com seu espírito, exaltando apenas a carne, seu espírito adoecerá. E, quando ele adoece, o vício predomina, a insatisfação reina, o tédio ocupa todos os espaços da sua vida, e a frustração e a insatisfação se tornam inevitáveis.

4. O mundo espiritual

O antídoto para alimentar seu mundo espiritual: *pratique o Método Sou, em todas as suas modalidades, conforme já expliquei. Quando você alimenta seu espírito, você ganha sabedoria e sobriedade. E consegue cuidar com muito mais propriedade dos outros três mundos que você deve alimentar (o mental, o emocional e o físico). Quando você alimenta seu espírito, você ativa a fonte e conecta-se a Jesus.*

Nos dias mais corridos, pratique o Método Sou, dos pilares 1 ao 7. Se você fizer de 2 a 3 minutos por cada passo, isso não vai levar mais que 20 minutos, no máximo, e seu dia se renovará por completo. Se o tempo for realmente curto, faça ao menos o pilar 7 do Método Sou ("Mate seu caos e silencie sua mente") — e isso já lhe trará paz e foco suficientes para enfrentar os desafios do dia. Mas lembre-se: **quanto mais alimentar seu espírito, mais poderoso você ficará.**

Quando os quatro mundos estão em sintonia e são diariamente alimentados, você está em equilíbrio. E passa a ser muito mais resiliente, de forma que é capaz de superar qualquer tipo de trauma. Toda dificuldade acaba funcionando como uma espécie de aprendizado, que irá sempre lhe ensinar alguma lição. Uma pessoa espiritualizada lida com muito mais sabedoria com as dificuldades da vida. Uma perda ou um trauma pesado são tratados e superados muito mais rapidamente. Já uma pessoa não espiritualizada tem muito mais dificuldades e, dependendo do trauma, pode entrar em profunda depressão.

Uma pessoa espiritualizada se fortalece e se blinda, sendo, portanto, muito mais resiliente e capaz de superar qualquer tipo de dificuldade.

Mas preciso deixar claro dois pontos essenciais aqui: todos os mundos, ou dimensões, do seu ser são importantes e precisam da sua atenção. O equilíbrio entre os mundos mental, emocional e físico são determinantes para a sua plenitude. Porém, é preciso destacar, esse equilíbrio só será alcançado plenamente se o seu espírito for alimentado diariamente, e de forma prioritária. Sem o alimento do espírito, não há paz, abundância ou amor. É pelo espírito que sua jornada começa. E é por meio dele que você alcança as outras dimensões do ser, equilibrando os mundos mental, emocional e físico. Segundo ponto: você alimenta o seu espírito entrando na presença de Jesus única e exclusivamente desta maneira. Não existem atalhos; a ligação é direta e sem intermediações. Não é por meio de santos, espíritos, mestres, deuses, religião etc. Ninguém vem ao pai se não for por meio do filho, e ponto final!

Outro aspecto de suma importância para que você comece a alimentar seu espírito é a fé. Sem fé você não chega a lugar algum. A fé, como digo em meus cursos e palestras, é o contrário do medo. Tanto a fé quanto o medo têm força suficiente para dominar sua vida. Só que, **com a fé, você se liberta, e com o medo você se aprisiona**. A fé e o medo são feitos de crenças. Se você tem medo, sua crença se volta para aquilo que o assusta, que o domina, fazendo com que você reaja de modo cauteloso, recolhido, quase sempre fugindo ou evitando as situações que lhe causam medo.

Já se você tem fé, se tem confiança em si mesmo e na sua capacidade de conquista, se acredita em Deus, então você tem o mundo à sua frente. Sua ação é sempre dirigida para a plenitude e para a abundância. Preste atenção nesta passagem, pois ela lhe ajudará a fortalecer sua fé:

"¹A fé mostra a realidade daquilo que esperamos; ela nos dá convicção de coisas que não vemos. ²Pela fé, pessoas em tempos passados obtiveram aprovação.

"³Pela fé, entendemos que todo o universo foi formado pela palavra de Deus; assim, o que se vê originou-se daquilo que não se vê.

"⁴Pela fé, Abel apresentou a Deus um sacrifício superior ao de Caim. Com isso, mostrou que era um homem justo, e Deus aprovou suas ofertas. Embora há muito esteja morto, ainda fala por meio de seu exemplo.

"⁵Pela fé, Enoque foi levado para o céu sem ver a morte; 'ele desapareceu porque Deus o levou para junto de si'. Porque, antes de ser levado, ele era conhecido por agradar a Deus. ⁶Sem fé é impossível agradar a Deus. Quem deseja se aproximar de Deus deve crer que ele existe e que recompensa aqueles que o buscam.

"⁷Pela fé, Noé construiu uma grande embarcação para salvar sua família do dilúvio. Ele obedeceu a Deus, que o advertiu a respeito de coisas que nunca haviam acontecido. Pela fé, condenou o resto do mundo e recebeu a justiça que vem por meio da fé.

"⁸Pela fé, Abraão obedeceu quando foi chamado para ir à outra terra que ele receberia como herança. Ele partiu sem saber para onde ia. ⁹E, mesmo quando chegou à terra que lhe havia sido prometida, viveu ali pela fé, pois era como estrangeiro, morando em tendas. Assim também fizeram Isaque e Jacó, que herdaram a mesma promessa. [10]Abraão esperava confiantemente pela cidade de alicerces eternos, planejada e construída por Deus.

"[11]Pela fé, até mesmo Sara, embora estéril e idosa, pôde ter um filho. Ela creu que Deus era fiel para cumprir sua promessa. [12]E, assim, uma nação inteira veio desse homem velho e sem vigor, uma nação numerosa como as estrelas do céu e incontável como a areia da praia.

"[13]Todos eles morreram na fé e, embora não tenham recebido todas as coisas que lhes foram prometidas, as avistaram de longe e de bom grado as aceitaram. Reconheceram que eram estrangeiros e peregrinos neste mundo. [14]Evidentemente, quem fala desse modo espera ter sua própria pátria. [15]Se quisessem, poderiam ter voltado à terra de onde saíram, [16]mas buscavam uma pátria superior, um lar celestial. Por isso Deus não se envergonha de ser chamado o Deus deles, pois lhes preparou uma cidade.

"[17]Pela fé, Abraão, ao ser posto à prova, ofereceu Isaque como sacrifício. Abraão, que havia recebido as promessas, estava disposto a sacrificar seu único filho, [18]embora Deus lhe tivesse dito: 'Isaque é o filho de quem depende sua descendência'. [19]Concluiu que, se Isaque morresse, Deus tinha poder para trazê-lo de volta à vida. E, em certo sentido, recebeu seu filho de volta dos mortos.

"[20]Pela fé, Isaque prometeu bênçãos para o futuro de seus filhos, Jacó e Esaú.

"²¹Pela fé, Jacó, prestes a morrer, abençoou cada um dos filhos de José e se curvou para adorar, apoiado em seu cajado.

"²²Pela fé, José, no fim da vida, declarou com toda a confiança que os israelitas deixariam o Egito e deu ordens para que cuidassem de seus ossos.

"²³Pela fé, os pais de Moisés o esconderam por três meses tão logo ele nasceu, pois viram que a criança era linda e não tiveram medo de desobedecer ao decreto do rei.

"²⁴Pela fé, Moisés, já adulto, recusou ser chamado filho da filha do faraó, ²⁵preferindo ser maltratado junto com o povo de Deus a aproveitar os prazeres transitórios do pecado. ²⁶Considerou melhor sofrer por causa do Cristo do que possuir os tesouros do Egito, pois tinha em vista sua grande recompensa. ²⁷Pela fé, saiu do Egito sem medo da ira do rei e prosseguiu sem vacilar, como quem vê aquele que é invisível. ²⁸Pela fé, ordenou que o povo de Israel celebrasse a Páscoa e aspergisse com sangue os batentes das portas, para que o anjo da morte não matasse seus filhos mais velhos.

"²⁹Pela fé, o povo de Israel atravessou o mar Vermelho, como se estivesse em terra seca. Quando os egípcios tentaram segui-los, morreram todos afogados.

"³⁰Pela fé, o povo marchou ao redor de Jericó durante sete dias, e suas muralhas caíram.

"³¹Pela fé, a prostituta Raabe não foi morta com os habitantes de sua cidade que se recusaram a obedecer, pois ela acolheu em paz os espiões.

"³²Quanto mais preciso dizer? Levaria muito tempo para falar sobre a fé que Gideão, Baraque, Sansão, Jefté, Davi, Samuel e os profetas tiveram. ³³Pela fé, eles conquistaram reinos, governaram com justiça e receberam promessas. Fecharam a boca de leões, ³⁴apagaram chamas de fogo e escaparam de morrer pela espada. Sua fraqueza foi transformada em força. Tornaram-se poderosos na batalha e fizeram fugir exércitos inteiros.

"³⁵Mulheres receberam de volta seus queridos que haviam morrido. Outros, porém, foram torturados, recusando-se a ser libertos, e depositaram sua esperança na ressurreição para uma vida melhor. ³⁶Alguns foram alvo de zombaria e açoites, e outros, acorrentados em prisões. ³⁷Alguns morreram apedrejados, outros foram serrados ao meio, e outros ainda, mortos à espada. Alguns andavam vestidos com peles de ovelhas e cabras, necessitados, afligidos e maltratados. ³⁸Este mundo não era digno deles. Vagaram por desertos e montes, escondendo-se em cavernas e buracos na terra.

"³⁹Todos eles obtiveram aprovação por causa de sua fé; no entanto, nenhum deles recebeu tudo que havia sido prometido. ⁴⁰Pois Deus tinha algo melhor preparado para nós, de modo que, sem nós, eles não chegassem à perfeição."

Hebreus 11:1:40

Mas como você pode fortalecer sua fé?

A primeira coisa é acreditar em Deus; a segunda, é acreditar em você mesmo, acreditar que você é capaz de fazer o que deseja. O mecanismo para alimentar e fortalecer a fé é o mesmo que destrói o medo. Geralmente, temos medo das coisas que não conhecemos, medo daquilo que nos apavora porque não sabemos o que pode acontecer, medo do fracasso, da rejeição, da crítica. Ou seja, com medo, você perde a confiança em Deus e em você. Imagine se Jesus tivesse medo?

Jesus confiou em Deus e em si mesmo.

Mas, na fé, a confiança é plena. E o primeiro passo para fortalecê-la é justamente enfrentar o desconhecido, abraçar o que você mais teme; porque você é maior que o desconhecido, e pode compreendê-lo e desvendar seus segredos. A fé é luz, sabedoria, iluminação; o medo é escuridão, incerteza, indecisão e dúvida.

O fundamento para a sua confiança está naquilo que Jesus dizia quando tentavam conflitá-lo, e ele respondia: "Eu sou." É o que sugiro a você, através do "incantation", ou de uma declaração para você mesmo.

Vou presentear você com a minha declaração que faço diariamente.

Eu sou...

O "incantation" é uma declaração em que você diz claramente o que você é, quais são suas forças e sua capacidade.

Se você não tem fé, precisa fazer essa declaração todos os dias sobre a sua vida, dizendo quem é você. O princípio que está por trás dessa declaração é que mesmo antes de nascer, antes de estar no ventre de sua mãe, você foi criado por Deus. Ou seja, como imagem e semelhança de Jesus, você veio ao mundo como um ser abençoado. Porém, durante sua trajetória, especialmente na infância e na adolescência, você foi perdendo sua fé e a confiança em si mesmo.

ATITUDES DO EU SOU

Eu sou ... Eu ajo, apesar do medo.
Eu sou ... Estou disposto Haja O que Houver.
Eu sou ... Eu faço tudo a 100%.
Eu sou ... Estou disposto a fazer o que é "difícil".
Eu sou ... Eu ajo apesar do meu humor.
Eu sou ... Eu sou maior do que qualquer obstáculo.
Eu sou... Eu tenho sucesso apesar de qualquer coisa.
Eu sou ... Eu nunca desisto!

RESPONSABILIDADES EU SOU

Eu sou ... Eu crio cada momento da minha vida.
Eu sou ... Minhas escolhas criam minha realidade.
Eu sou ... Minha ação cria meu resultado.
Eu sou ... Não há "não posso".
Eu sou ... Eu escolho ou não escolho.
Eu sou ... Não há nenhuma "tentativa", eu faço ou não faço.

INTEGRIDADE EU SOU

Eu sou ... Eu sou fiel ao meu próprio coração.

Eu sou.... Eu faço tudo que é justo, correto e direito.

Eu sou... Eu falo a minha verdade com paixão.

Eu sou ... Eu mantenho meus compromissos.

Eu sou... Minha palavra é lei.

ACEITAÇÃO EU SOU

Eu sou ... Eu aprovo de mim mesmo, agora.

Eu sou ... Eu não tenho que agradar a todos.

Eu sou ... Eu não levo nada para o lado pessoal.

Eu sou ... Eu compreendo que a maneira como os outros me julgam diz respeito a eles.

Eu sou ..... Eu não preciso da aprovação do homem se eu já tenho aprovação de Deus.

Eu sou ... Eu olho nos olhos deles, eu digo a eles quem Eu Sou, e se eles não gostam, DANE-SE !

Agora eu sou a voz.

Vou governar, não seguir.

Vou acreditar, não duvidar.

Vou criar, não destruir.

Eu sou uma força de Deus

Eu sou .

Por que isso aconteceu?

Basicamente, por duas razões: ou distanciamento do seu pai — sua figura materna, ou paterna, ficou longe de você, não lhe deu apoio, desacreditou de seus dons e competências ou apoiou mais um outro irmão(a) do que você.

Ou, o que é bastante comum, seus pais, professores ou pessoas que cuidavam de você falavam que você não ia dar em nada, que não chegaria a lugar nenhum, que seria uma pessoa medíocre, sem futuro e incompetente.

Talvez isso nem sempre tenha acontecido de forma direta ou objetiva. Mas a cada vez que você foi preterido, ficou de lado ou foi desestimulado, sua fé enfraquecia, fazendo com que você passasse a desacreditar de si mesmo e de sua capacidade de fazer coisas grandes.

Ora, se você é uma criatura formada por Deus, e desacredita de si, então você também desacredita de Deus. Se você desacredita de Deus, como pode acreditar em si mesmo?

Veja que uma coisa leva à outra.

Se você é imagem e semelhança de Jesus Cristo, quando você desacredita de si mesmo, você quebra a conexão com o Pai, abandona seu espírito e se torna completamente vulnerável.

A saída, portanto, é voltar a acreditar em você mesmo, silenciando sua mente e abrindo seu coração para receber Jesus.

Por isso é importante fazer o "incantation" todos os dias, em frente ao espelho, ou durante sua corrida matinal, até que isso entre no seu subconsciente e se torne uma verdade absoluta. Se você não acredita em você, seu cérebro também não acredita. No entanto, como o cérebro não distingue a verdade da mentira, ele vai acreditar no que você disser e no que de fato *você* acreditar. Portanto, se você declara o "Eu sou..." todos os dias, com fé e com vigor, seu cérebro vai começar a acreditar em você. E, como você sabe, uma coisa leva à outra. Se o seu cérebro acredita, você acredita e as coisas acontecem.

Com sua voz, sua postura física ereta, para frente, braços e mãos abertos e levantados, coração aberto, cabeça erguida, por dois minutos em frente ao espelho, ou olhando para o céu diga o seu "Eu sou...". No final agradeça, agradeça a Jesus por tudo que você é.

Quando faz isso, você ativa a sua fé pessoal. Esse é o começo de tudo, da crença em Deus e da crença em si mesmo.

Para fortalecer essa conexão, sugiro que você pare por alguns instantes a leitura deste livro e retome os passos do Método Sou, buscando conectar e alimentar seu espírito.

Lembra dos pilares do Método Sou? Aqui vão eles:

1. O princípio de tudo: o verdadeiro número um em sua vida (palavras de adoração).

2. Criando minha atmosfera: mude seu ambiente e crie uma atmosfera diferente (louvor).

3. Ligação direta: fale com quem manda em tudo (abra sua boca).

4. Aprendendo a guerrear (batalha espiritual).

5. Prosperidade, paz e poder (declaração: o poder da palavra).

6. Gratidão (a chave da plenitude e da abundância).

7. Mate seu caos e silencie sua mente (faça isso pela manhã ou em qualquer momento do seu dia).

Volte ao capítulo anterior para mais detalhes dos pilares do Método Sou.

Lembre-se: é importante que você pratique esse ritual todos os dias, de forma que ele faça parte de sua vida e esteja acessível em qualquer momento.

Até o próximo capítulo.

> **Um exercício rápido:**
> Tome você mesmo a sua temperatura com este termômetro espiritual.
> De 0 a 10, o quanto você está alimentando os quatro mundos que falamos até aqui?
>
> Espiritual (Método Sou) (   )   Emocional (   )
> Mental (   )   Saúde física (   )

A CHAVE DA PROSPERIDADE

CAPÍTULO

— SUA IDENTIDADE ESPIRITUAL?

"Não deixe ninguém roubar sua identidade dizendo que você não é capaz."

"Quando você descobre quem é, a palavra impossível desaparece da sua mente."

"Não dei ouvidos para as pessoas que não acreditaram em mim."

— PYERO TAVOLAZZI

O bilhete de passagem para o início dessa jornada que proponho começa com esta indagação: *Quem é você?*

Já fizemos essa pergunta aqui, mas, neste momento, como você verá, ela ganhará ainda mais relevância. De modo geral, como eu disse anteriormente, quando perguntadas sobre isso, as pessoas pensam imediatamente em seus dados ou informações cadastrais. Ou seja, pensam em seus nomes, nos lugares onde moram ou trabalham, seus documentos, sua formação, filiação etc. Mas esses dados contam apenas o que você fez, falam dos lugares por onde passou e lhe dão uma identificação social. No entanto, esses dados não dizem nada sobre o que você é de verdade. Esses dados não informam nada sobre sua identidade espiritual, que é do que trato aqui.

Quando você não sabe quem é, neste sentido ao qual estou me referindo, você vive como um filho bastardo no mundo, como se estivesse desnorteado, iludido, correndo atrás de prazeres fugazes, sem conseguir dar um norte verdadeiro e consistente para sua trajetória.

Muitas vezes, ficamos intrigados por não saber o que fazer da vida, às vezes até inconformados por não termos claro um propósito que nos encaminhe no mundo. Quando as pessoas se dão conta disso, quer dizer, quando percebem essa falta de propósito, passam a buscar razões para viver, lançando-se em projetos que pouco ou nada têm a ver com elas, acreditando assim que o problema todo está nisso, em encontrar alguma coisa para fazer.

Só que isso não resolve a questão.

É claro que é importante ter um propósito de vida. Contudo, você só terá um no dia em que descobrir quem verdadeiramente é. Quando as pessoas sabem quem elas são, conseguem ativar seu verdadeiro dom e potencializá-lo para cumprir e viver sua missão aqui na Terra. Isso só acontece quando você descobre sua identidade espiritual.

A identidade espiritual é uma das coisas mais poderosas que o ser humano tem. Ela se baseia em camadas.

A primeira camada é: O que Deus pensa que eu sou, ou o que Deus pensa sobre mim?

Antes mesmo de você nascer, antes mesmo de ser formado, Deus já sabia de sua existência, e Ele escolheu você para vir ao mundo à imagem e semelhança de Cristo — que foi seu outro filho, o filho de Deus. Jesus Cristo veio a este mundo e morreu por nós. Se todos nós somos filhos de Deus, então o Pai vê você como seu filho, como alguém único, pois não há ninguém neste mundo igual a você. Quando você tem a clareza de que Jesus o ama, que Deus o criou como um ser único, e que o amor de Deus é incondicional, isso é, Ele o aceita do jeito que você é, então as coisas começam a fazer sentido em sua vida. Não importa se você é um pecador, se tem defeitos, vícios, se tem um bom coração ou mesmo se não tem um coração assim tão bom. Nada disso importa para que Deus o ame.

Acreditar nisso faz toda a diferença em sua vida. Lembre-se de que quando Jesus foi crucificado, ao seu lado estava um assassino, que lhe pediu o seguinte:

> "Então ele disse: 'Jesus, lembre-se de mim quando vier no seu reino.'"

Ao que Jesus respondeu, mesmo sabendo que aquele homem morreria, e que era um assassino:

> "E Jesus lhe respondeu: 'Eu lhe asseguro que hoje você estará comigo no paraíso.'"

Lucas 23:42-43

Ou seja, Jesus não só perdoou aquele assassino como, com o seu gesto, lembrou-lhe que ele, Jesus, veio do mesmo pai que aquele assassino. Quando disse isso, Jesus estendeu a mão àquele homem, dando sentido, mesmo na morte, à sua vida.

O mesmo se repete quando você se identifica espiritualmente, ao descobrir quem é você. Mesmo que você tenha tido uma vida desregrada, com problemas, dificuldades, vícios e más ações, você estará inteiramente nas mãos de Deus. A partir do momento que você acredita que tem um Pai, e que este Pai, na imagem de Deus, o ama acima de tudo, e de forma incondicional, sua vida ganha um outro significado. Você pode conversar com Ele, contar seus segredos, suas angústias, abrir seu coração, compartilhando seu íntimo e seus sonhos, pois a partir desse momento toda a sua história passa a ter um novo sentido, e você descobre seu propósito e sua missão.

Quando você abre seu coração, e com clareza ouve o que o Pai pensa de você, 80% da sua identidade é ativada.

Essa é a razão que explica por que a maioria das pessoas tem dificuldades de ativar sua identidade. Falta-lhes saber, com clareza, quem elas são *em* Deus. Elas acham que Deus está distante, quando, na verdade, quem está distante de Deus são elas; acham que Deus não tem tempo para elas, quando, na verdade, são elas que não têm tempo para Deus; ou que Deus não as escuta, quando, na verdade, são elas que estão com o coração fechado e não conseguem ouvir a palavra de Deus.

Quando você descobre com clareza que Deus o ama, que está preocupado com você, que Ele cuida de você e está a seu lado, todos os caminhos se abrem. Mas a decisão sempre será sua, pois Deus deu a você o livre-arbítrio. Nunca Deus intercederá por você sem que você faça essa escolha. Ele estará sempre do seu lado (não importa quem você seja). Se pedir e desejar estar em seu colo, ou caminhar com os pés Dele sob os seus, Deus o ouvirá. Mas, se também nada pedir, Ele ficará em silêncio.

A decisão sempre será sua.

Mas e os Outros 20% da Camada Espiritual?

Ter clareza sobre o que Deus pensa de você é suficiente para ativar 80% da sua identidade espiritual. Mas o que será que ativa os 20% restantes?

A resposta está nesta pergunta: Como você se vê? Ou: o que você pensa de você?

Agora veja que interessante: a visão que tem de si mesmo representa apenas 20% da sua identidade espiritual. No entanto, ela é essencial para que toda a sua identidade seja ativada. Se você, por exemplo, não se achar uma pessoa merecedora, não conseguir se ver como alguém extraordinário, ou não se ver como uma pessoa capaz de grandes realizações, nada adiantará. Se você for uma pessoa tímida, se não acreditar em si mesmo, ou se, ao se olhar no espelho, se sentir como alguém derrotado, por que você acha que terá resultados diferentes daqueles que você mesmo está pensando?

> "Assim como tu pensas na sua alma, assim tu és."
>
> Provérbios 23:7

Portanto, para ativar 100% da sua identidade espiritual, você precisa ter um autoconceito muito bem avaliado por você mesmo. Aliás, quem melhor do que você para acreditar no que é capaz de fazer?

Os resultados que você obtiver nunca serão maiores que seu autoconceito — que é como você se enxerga. Geralmente, você só recebe aquilo que acredita merecer. Se acha que merece pouco, seja em que área for, esse será o tamanho da sua recompensa. Se achar que merece mais, você receberá mais. Se achar que merece dez vezes mais, assim também será atendido.

Como você se vê hoje? Sente-se capaz ou incapaz? Sente-se extraordinário(a) ou fracassado(a)? Fale um pouco sobre você aqui:

Como eu disse no capítulo anterior, na sugestão do "incantation", este "eu sou" é absolutamente poderoso. Lembre-se de que ao tentar conflitar a identidade de Jesus, em sua época, os que o cercavam não perguntavam de *onde* Jesus vinha, mas *quem* ele era. E Jesus, por sete vezes (conforme nos conta o apóstolo João), respondeu: "Eu sou".

"Eu sou o pão da vida."

João 6:35

"Eu sou a luz do mundo."

João 8:12

"Eu sou o caminho, a verdade e a vida."

João 14:6

"Eu sou a videira verdadeira."

João 15:1

"Eu sou a porta."

João 10:7,9

"Eu sou o bom pastor."

João 10:11,14

"Eu sou a ressurreição e a vida."

João 11:25

Jesus tinha certeza de quem ele era. Quando menino, ele foi carpinteiro; depois deixou de ser carpinteiro para ser Jesus Cristo. E, quando ele teve a convicção de quem era, não existiram mais limites para ele. E veja como a identidade dele era muito forte: Jesus tinha muita clareza de que o Pai o tinha posto no mundo para uma missão especial, porque Deus amava muito seu filho. E isso deixava ainda mais claro quem ele era. Por isso, ele dizia: "Eu sou." Dele vinham as virtudes, porque ele, Jesus, também é Pai (lembre-se do mistério da trindade), também é ressurreição, também é amor.

Como expliquei no início do nosso livro, o Método Sou é composto por *sete* pilares, acompanhando assim a mesma simbologia do "Eu sou" de Jesus, representando sua totalidade.

As Três Camadas Que Roubam Sua Identidade Espiritual

Quando abrir seu coração, ouvir a voz do Pai e tiver clareza sobre quem você é, 100% de sua identidade espiritual será ativada.

Porém, de modo geral, a maioria das pessoas fica presa nas últimas três camadas, que são:

1. **O que os seus pais (ou professores ou responsáveis) diziam de você na infância ou na adolescência ("você não vai dar em nada"; "você será um fracasso"; "você terá muita dificuldade na vida" etc.) — esse discurso certamente influenciou a maneira como você se enxerga hoje.**

O que é libertador agora, nesse ponto, é que se você tem a aprovação de Deus (o que Deus pensa de você?) e consegue se aceitar, acreditando ser merecedor (o que você pensa de si mesmo?), então não importa mais o que os seus pais (ou as pessoas que cuidavam de você) diziam no passado. Aliás, não importa mais o que os outros dizem ou pensam sobre você. A opinião dos outros não importa mais do que a sua própria opinião. Você é único, tem seu jeito próprio de fazer as coisas e, se acreditar em si mesmo e se abrir para o Pai, tudo dará certo.

O que os seus pais falavam sobre você, ou o que as pessoas diziam, já não determina mais quem você é ou quem será. Não é isso que determina sua identidade. Você não depende de ninguém para ser muito melhor do é!

> Sua crença, nesse aspecto, deve ser: "Eu não me importo com o que eles (pais, responsáveis etc.) pensavam e falavam na minha infância sobre quem eu era. Sei quem **EU SOU** e ponto final!"

✎ **O que os seus pais (ou as pessoas que cuidavam de você) diziam para você quando criança ou adolescente? E como eles veem você?**

2. A outra camada pode ser sintetizada no que chamo de "a aprovação dos outros", isso é, como as pessoas verão você, o que acharão de você, e se irão ou não aprovar o que você faz. Vale dizer que muitos, a maioria eu diria, esperam ardentemente ser aprovados pelos outros. E, se isso não acontece, ficam paralisados. Se você espera paralisado por aprovação, nunca conseguirá ousar e nem viver plenamente seu potencial. O que vale observar aqui é que se você aguarda pela aprovação dos outros, nunca vai conseguir fazer nada, porque o homem não tem o poder de aprovar ninguém. Nem Jesus Cristo foi aprovado pelos seus contemporâneos — e, ainda hoje, muitos o questionam! Imagine se Jesus fosse aguardar alguma aprovação para ser quem ele foi e é!

Chegaram a crucificar Jesus Cristo. Veja só, sendo quem ele era, e ainda assim nem todos o aprovaram. **Se você for esperar pela aprovação da maioria para governar e reinar em sua vida, exercendo o seu papel de liderança, você nunca vai chegar a lugar algum.**

O que as pessoas pensam ou o que seus amigos acham de você não importa. Como eu disse anteriormente, você não precisa da aprovação do homem, porque você já tem a aprovação de Deus.

Se você não ativar sua identidade espiritual, você fica preso na camada do mundo a sua volta, girando em torno do que os outros dizem, pensam ou falam de você, como um parafuso espanado. Você aguarda aprovação, aguarda ser incluído, aguarda até ter alguma significância para eles, veja só!

Quando isso acontece, sua vida não pertence mais a você; na verdade, sua vida está nas mãos dos outros. Se você está preso na opinião das pessoas, você não consegue exercer sua missão e seu dom único na Terra, porque você perde sua liberdade de expressão, fica sem liberdade de colocar para fora o que acha, o que pensa, perde a oportunidade de ser unicamente quem você é.

Não deixe ninguém roubar sua identidade dizendo que você não é capaz.

> Sua crença, nesse aspecto, deve ser: "Eu não me importo com o que os outros pensam e falam a meu respeito. Sei quem **EU SOU** e ponto final!"

✎ O que os outros dizem (ou esperam que você seja)?
Como as pessoas veem você?

3. O terceiro ponto que emperra a sua identidade espiritual tem a ver com a cultura da nossa sociedade/país. E muitos ficam amarrados aqui. As pessoas carregam um peso muito grande, e pagam um preço elevadíssimo por isso, por nem sempre se enquadrarem no modelo exigido por nossa sociedade/país. Se você não tem dinheiro, se não é uma pessoa de destaque, se não tem poder, se não tem o último modelo de celular, ou o carro do ano, uma casa na praia etc., você está fora, é uma peça descartada, preterida pelos círculos sociais e até pelo próprio mercado.

Por que isso acontece?

Porque as pessoas a sua volta — como representação da sociedade/ país — esperam que você tenha sucesso, ou pelo menos o padrão de sucesso que elas criaram. Só que aquilo que é sucesso para eles nem sempre é sucesso para você — ou mesmo para mim. O sucesso é algo muito relativo, pessoal e particular. O que faz você vibrar e se sentir bem é algo completamente diferente do que faz o seu vizinho vibrar e se sentir bem. Você não precisa atender o padrão formal de sucesso, adotado pela sociedade/país/mercado, para obter seu verdadeiro sucesso. E pouco importa se você é um funcionário público, ou assalariado, ou empresário. Se você está com Deus e sabe quem é, então está livre para ser e fazer o que quiser.

Se você quer ter uma casa na praia, ou ter o carro do ano, isso em si não é problema algum, desde que você queira isso por vontade própria, e não por exigência (velada ou implícita) do que pede a sociedade.

É claro que vencer essa camada não é algo simples. O que está por trás desse tipo de cobrança social é uma espécie de cultura moral, que faz duras cobranças e impõe sanções emocionais a quem não se submete a essas regras. O mecanismo é tão perverso que muitas vezes a pessoa não percebe que está sendo induzida a tomar decisões que atendem muito mais aos apelos do país/sociedade que as suas próprias necessidades. Exige-se que você seja e aja como um modelo ideal para esta sociedade, mas isso quase nunca corresponde ao que você é e deseja fazer.

> Sua crença, nesse aspecto, deve ser: "Eu não me importo com o que a cultura do meu país impõe para a sociedade. Sei quem **EU SOU** e ponto final!"

O que a sociedade cobra ou exige que você seja? Como o país o enxerga?

Torno a repetir: Nada disso importa. O que pensavam seus pais, seus amigos, o país ou a sociedade, nada disso deveria interferir em sua vida. O que conta, o que faz a diferença, é o que Deus pensa de você e o que você pensa de si mesmo. Quando você deixa de se importar com as outras camadas e concentra-se no essencial, naquilo que Deus pensa e no que você mesmo acredita, então você se liberta.

Nunca é demais reforçar: **Você não precisa da aprovação de ninguém, não precisa ser aceito por ninguém e muito menos ser notado por ninguém. Você só precisa reconhecer quem você é.** Portanto, aceite-se mais, ame-se mais e valorize-se mais, a ponto de afastar tudo aquilo que não deixa você ser feliz ou que o impede de se desenvolver como pessoa.

Nunca é demais repetir: se você tem a certeza de Deus, se já tem a sua aprovação, você não precisa da certeza do homem para ser quem é de verdade.

Superando Suas Próprias Amarras

Atente-se para isto: o grande desafio não está em superar o que os outros pensam de você. Isso é algo que faz parte do mundo, da sociedade e das pessoas de modo geral. O grande desafio que você precisa vencer está dentro de você. Digo isso porque a maioria das pessoas precisa de aceitação (aceitação dos outros), e querem ser aprovadas (querem ter a aprovação dos outros), sendo capazes de qualquer coisa para fugir da crítica e da rejeição. Esse é o grande problema.

Quando você deixa de ouvir as críticas, ou se coloca de modo a não precisar e a não depender mais do que os outros pensam e dizem sobre você, tudo muda. Mas veja que interessante: quando você deixa de ouvir as críticas, ou pelo menos deixa de se guiar exclusivamente por elas, isso não quer dizer que essas críticas deixam de existir ou que as pessoas deixarão de falar de você. Não, nada disso. Você está no mundo, está exposto a todo tipo de crítica. Na verdade, se você quiser crescer, será criticado. Se você ousar, será criticado. Qualquer movimento que faça em direção ao seu próprio desenvolvimento será passível de críticas. Aprenda uma coisa: quanto mais você cresce, maiores serão as críticas e a perseguição; só é criticado quem chama atenção e quem é visto. E não há problema nisso, faz parte da vida. As coisas só se complicam quando você, por querer ser aceito, abre mão do seu próprio desenvolvimento e deixa as críticas tomarem conta da sua vida. Então você se entrega, se engessa, não consegue cumprir seu propósito e não sai do lugar.

A crítica sempre vai fazer parte de quem está disposto a crescer e a evoluir.

Eu já aprendi que, quando vem uma grande crítica ou uma grande perseguição, isso é sinal de que estou no caminho certo e estou chamando atenção. Pego o lado bom disso e potencializo a um nível "dez vezes maior". Aprendi a usar isso como um combustível que me ajuda a atingir o meu alvo em vez de ficar paralisado.

Preste atenção, vou ensinar sete coisas que vão lhe deixar ainda mais forte:

1. Seu adversário é seu maior combustível; logo, ele é seu aliado.

2. Se ninguém odeia o que você está fazendo, então ninguém sabe o que você está fazendo.

3. Não dou ouvidos às pessoas que não acreditam em mim.

4. A aprovação dos outros não me torna melhor, assim como a desa-provação deles não me torna pior.

5. Deus quer que você seja multimilionário.

6. Não invejo, muito pelo contrário: eu abençoo o outro porque sou inspirado por ele.

7. Percebi que meu maior inimigo era eu mesmo.

Todos temos dentro de nós a possibilidade de sermos cordeiro e leão. Isso acontece simultaneamente dentro de uma mesma camada. Só que algumas pessoas não chegam a despertar o verdadeiro leão que existe dentro delas e acabam sendo cordeiros o tempo todo. Se você age e pensa como um cordeiro a vida inteira, você será engolido todos os dias, na maioria das vezes. Significa que a sociedade vai passar por cima de você, assim como seus amigos e as pessoas com quem convive irão ditar como deve ser a sua vida, o que você deve fazer e como deve se comportar.

Quando você é cordeiro, você nunca vai à caça porque você é sempre caçado!

Isso não quer dizer que você não deve ser nunca cordeiro. Quando você estiver servindo, quando estiver cuidando, quando estiver protegendo, então você deve agir como um cordeiro. Mas no dia a dia, quando você está caçando, quando está provendo à sua casa, à sua família, você precisa ter o instinto do leão.

Quando toda a sua identidade está ativada, você está no controle. Existem vários caminhos para ativar isso, mas o mais próximo e acessível é a oração. É pela oração que você se conecta — especialmente naquilo que está definido no Método Sou como "ligação direta". Quanto mais você está na presença de Deus, quanto mais o buscar, mais a velha criatura deixará seu corpo e uma nova criatura irá habitá-lo, com todas as virtudes do espírito.

Abra a sua boca e entregue o seu coração dizendo:

"Eis-me aqui, Senhor!"

Inteligência Espiritual para Relacionamentos

A chave para uma vida plena está na arte de manter relacionamentos. Jesus, por exemplo, foi o mestre em relacionamentos. Ele se relacionava com prostitutas, com enfermos, com endemoniados, com traidores, com seus discípulos, com os sacerdotes, com os homens do poder, com os mais simples, com todos que dele se aproximavam. E em todos esses relacionamentos Jesus conseguia ver, e valorizar, o lado bom das pessoas, aceitando-as como eram, sem criticá-las e sem dar-lhes as costas.

Será que você consegue agir assim como Jesus?

Acredito que o ápice da espiritualidade está em você aprender a se relacionar com todas as pessoas como Jesus se relacionava. E isso não é difícil se você compreende que aqui, onde está agora, você é um pequeno Cristo na Terra. Isso mesmo. Se você é Cristo na Terra, sua missão é amar, respeitar e servir todo e qualquer ser humano que passar pelo seu caminho, como o próprio Jesus fez, com toda sua bondade, divindade e poder.

Para fazer isso, você precisa então aprender a se relacionar:

1. Com Deus (*vide* Método Sou);

2. Com você mesmo (acreditando em si mesmo e aceitando-se);

3. Com as pessoas (com todos os que cruzarem o seu caminho);

4. Com aquele(a) a quem ama (no âmbito conjugal, familiar);

5. Com seus pais (honrando-os e perdoando-os); e

6. Com os traidores (aqueles que o traíram, abandonaram e rejeitaram).

Quando falamos há pouco sobre não ouvir ou não dar importância ao que as pessoas dizem ou pensam sobre você, a ideia sugerida é que você retire dessas relações aquilo que impede você de caminhar, de ousar, de buscar o seu propósito — e substitua esses laços apodrecidos por relações saudáveis, honestas, amorosas, sem medos e amarras.

Na relação com Deus, você precisa aplicar de forma rotineira o Método Sou, entregando sua vida completamente a ele, Deus pai. No mais, Ele tudo fará, tal como expliquei no capítulo 2.

Na relação consigo mesmo, você deve enfatizar a crença nas suas potencialidades e aceitar-se como é, dispondo-se a buscar novos patamares de desenvolvimento, como escrevi acima.

Nas relações com as pessoas que passam por sua vida, você precisa agir como o próprio Jesus agiu. Lembre-se de que ele se relacionou com Judas, que o traiu; se relacionou com Pedro, que o negou; se relacionou com João, seu amigo mais íntimo; se relacionou com José de Arimateia, seu amigo anjo, que lhe deu o túmulo em ele que foi enterrado.

Em sua trajetória, você encontrará diversos tipos de amigos, entre eles o amigo mercenário, o amigo que vai lhe trair, o amigo que vai negar quem você é, o amigo anjo, que aparece do nada e se dispõe a ajudá-lo, assim como o amigo íntimo, que está sempre ao seu lado, não pede nunca nada e com o qual você sempre pode contar.

Não cabe a você julgar quem é bom ou quem é mal. Não era assim que Jesus agia. Cada uma dessas pessoas tem um lado bom. Jesus sabia identificar isso, simplesmente porque estava aberto para compreendê-las. Em sua jornada, Jesus não excluía ninguém, muito pelo contrário!

Jesus amou incondicionalmente a todos, pois Jesus é amor. Será que você pode ser amor para esta geração?

Tudo o que esta geração está precisando é do seu amor e do seu perdão.

Vamos ver como está a intensidade desses seus relacionamentos.

De 0 a 10, como está o nível do seu relacionamento...

...com Deus?

(Dê uma nota de avaliação, de 0 a 10, e escreva o que você vai fazer para melhorar este relacionamento espiritual.)

...com você mesmo? Você se ama?

(Dê uma nota de avaliação, de 0 a 10, e escreva o que você vai fazer para se amar mais e se valorizar.)

...com as pessoas?
Você se isola, é egoísta ou gosta de se relacionar?

(Dê uma nota de avaliação, de 0 a 10, e escreva o que você vai fazer para melhorar sua interação com as pessoas à sua volta.)

...com aqueles com quem convive (cônjuge e família)? Você está realmente cuidando e amando seu cônjuge e sua família?

(Dê uma nota de avaliação, de 0 a 10, e escreva o que você vai fazer para melhorar essas relações.)

...com seus pais? Você tem honrado, amado e perdoado seus pais? Lembre-se de que foram eles que lhe deram a vida.

(Dê uma nota de avaliação, de 0 a 10, e escreva o que você vai fazer para melhorar a relação com seus pais.)

...com seus traidores?

(Dê uma nota de avaliação, de 0 a 10, e escreva *quando* você vai ligar ou falar com eles para perdoá-los. É importante lembrar aqui que a falta de perdão o impede de acessar o mundo espiritual, e o seu coração fica preso, de modo que você vai morrendo aos poucos a cada dia. Liberte-se disso já!)

Se você agir como Jesus, compreendendo cada uma dessas pessoas e tentando despertar em cada uma delas o seu lado bom, seus relacionamentos se tornarão mais saudáveis e frutíferos.

Na relação com seu cônjuge (sua esposa ou o seu marido/companheiro) a mesma atenção é necessária. É com essa pessoa que você divide o seu amor conjugal. Você precisar abrir espaço para compartilhar esse relacionamento, de tal forma que possa caber nele tanto os seus desejos quanto os da outra pessoa. A relação precisa ser respeitosa em todas os âmbitos, permitindo que vocês caminhem juntos. Afinal, por que outra razão você aceitaria se relacionar (*e se casar*) com a pessoa que ama?

Lembre-se: os filhos, mais cedo ou tarde, vão partir para o mundo, e só vai restar o marido e a esposa na casa. Então, cuide dessa relação como a joia mais preciosa da sua vida.

Por fim, a relação com os seus pais também é uma relação de amor, e isso pressupõe o perdão. Não importa o que aconteceu no passado. Seus pais, à maneira deles, sempre quiseram o melhor para você. Talvez eles tenham errado, talvez eles não tivessem as condições necessárias para proporcionar a você uma educação melhor, talvez eles não tivessem a informação adequada para dar uma boa educação, ou talvez eles tenham protegido mais um outro irmão(a) do que você, e isso fez com que você se sentisse abandonado ou rejeitado. Mas tenha essa certeza: se isso aconteceu, é porque eles viram em você mais maturidade e segurança do que nos outros, e só por isso eles acharam que deveriam proteger mais o outro irmão(a). Então, se orgulhe disso, porque eles o amam também. O que conta hoje é o resgate ou a reconstrução dessa relação, de modo que você os compreenda e os aceite como são, abrindo espaço na relação de vocês para que o melhor deles prevaleça. Se preciso for, perdoe-os; se preciso for, chore; se preciso for, abrace-os, beije-os. Mas atenção: não deixe isso para depois.

A Palavra-chave Nesse Momento É Reconciliação

Passou pelo mundo um homem que foi de todos o mais excluído, o mais rejeitado, o mais injustiçado e, por fim, foi crucificado. E, apesar de tudo isso, ele morreu por nós e continuou a amar cada um de nós.

Se agir como ele agia, você vai ter muita paz em sua vida, e terá o coração limpo. Quando Jesus lavou os pés de Judas, ele o fez por si mesmo e por nós. Ele nos ensinou que, por pior que fosse essa pessoa (e Jesus sabia que Judas o trairia), ela também merecia seu perdão.

Ali, quando ele estava lavando os pés de Judas, Jesus estava dando uma aula de sabedoria, e nos ensinou duas coisas. Preste atenção nisso, o primeiro ensinamento: **"Sobre tudo o que se deve guardar, guarda o teu coração, porque dele procedem as fontes da vida."** Jesus sabia que se ele sentisse tristeza, raiva, ira, rancor ou ódio de Judas, ele, Jesus, estaria matando a fonte da vida, isso é, seu coração. E só por isso ele lavou os pés de Judas, perdoou-o e o amou. Você seria capaz de fazer isso?

O traidor morre com seu próprio veneno; o traidor será colocado pelo inimigo para tentar roubar seu coração, e é exatamente no seu coração que está o sopro da vida.

O segundo ensinamento de Jesus: se alguém trair você, lave os pés dessa pessoa. Em outras palavras, **perdoe, pois o perdão é essencial para a sua liberdade**. A falta de perdão rouba o seu coração, ou seja, rouba a sua luz, sua vida, sua alegria, seu vigor. A falta de perdão enfraquece os ossos.

O mal que os outros tentam fazer a você, na verdade, é um mal que eles fazem a si mesmos e não a você.

Aceitar as pessoas como elas são não significa que você tenha que ser submisso ou tenha que ser dominado por elas, aceitando a vontade delas. Não é isso. Jesus nunca foi dominado nem comandado por ninguém — simplesmente porque ele sabia quem era!

Para agir como Jesus, você precisa ter mentalidade de governo para governar como Jesus governou.

E ter um coração de servo para servir como Ele serviu.

Até o próximo capítulo!

AS VIRTUDES DO ESPÍRITO

CAPÍTULO 5

— SUPERAÇÃO E O PODER DA SUA PALAVRA

"A língua tem poder para trazer morte ou vida; quem gosta de falar arcará com as consequências."

— PROVÉRBIOS 18:21

Quanto mais amadurecida estiver sua mente, melhor você irá lidar com suas emoções. O que quero dizer é que se você se prepara, se aceita suas emoções, se compreende o que se passa ao seu redor, mais alternativas de superar eventuais momentos difíceis existirão. Se você tem uma frustração ou alguma emoção dolorosa, esquecê-la ou substituí-la por um desses prazeres imediatos, ou se entregar a algum vício, não lhe ajudará a superar aquele momento adverso. Você só conseguirá superar essas frustrações e eventuais derrotas se vivê-las, isso é, se compreender que elas fazem parte da vida e que é parte de sua missão dar a volta por cima.

Existe um estudo que foi publicado no exterior que confirma exatamente isso que estou dizendo. De acordo com esse estudo, quanto mais desenvolvida estiver a sua inteligência emocional, menores chances você terá de ficar paralisado por conta de alguma adversidade ou frustração. O caminho para isso acontecer, de acordo com esse estudo, é que o ser humano não tem que esconder e nem afastar seus sentimentos diante de situações adversas, mas, ao contrário, precisa vivê-los, sentindo suas dores, suas frustrações, chorando quando tiver vontade de chorar, e reconhecendo que aquele momento ruim ou desagradável está acontecendo porque algo não funcionou ou porque não estava em suas mãos evitar aquilo. Porém, diz o estudo, esse reconhecimento da dor e das emoções não pode durar muito tempo. Como eles dizem, isso tem um prazo de validade para acabar. E quem deve determinar quando esse prazo acabará é você, e somente você! Entender isso faz toda a diferença. Existem pessoas que passam a vida toda revivendo sentimentos de luto ou de frustração, carregando no coração o peso de um lamento, de uma derrota ou de uma perda. Quanto mais tempo a pessoa passa nesse estado, mais tempo ela passa vendo só o lado negativo e ruim daquele evento e, por extensão, da sua própria vida.

Por outro lado, se você vive aquela adversidade, chora o que tem para chorar, mas num determinado momento decide erguer a cabeça, se levanta e, como diz o ditado, sacode a poeira a dá a volta por cima, você então resgata a sua força e a sua confiança e começa de novo a fazer as coisas acontecerem.

Você se lembra de situações passadas, lembranças mal resolvidas, ou frustrações que ainda estão presentes no seu dia a dia, e que você carrega até hoje?

Cite eventos passados que você, ainda hoje, alimenta algum tipo de rancor ou sentimento negativo.

1º.

2º.

3º.

4º.

5º.

...

Reflita sobre eles e avalie se ainda faz sentido dedicar tanto tempo e sentimento negativo pensando em cada um deles.

Será que não é a hora de deixar o que passou para trás e mudar seu horizonte?

Encontrar o momento adequado de mudar o sentimento e a postura diante de um evento desfavorável é fundamental para a transformação. E isso é algo que só você e mais ninguém pode fazer. Você é o único responsável por decidir isso. Quando você decide mudar e sair da frustração, uma nova ordem se estabelece em sua vida. E isso será muito mais fácil se você estiver espiritualmente conectado. Como você já sabe, a melhor maneira de se conectar espiritualmente com Jesus é por meio da oração. E, por meio dela, aquele evento desfavorável se transformará em oportunidade para que novas coisas aconteçam em sua vida, como diz o Salmo 30:5:

"O choro pode durar toda a noite, mas a alegria vem com o amanhecer."

Para que isso aconteça, é preciso crer. Se você não acredita, as coisas não acontecerão. Se a pessoa estiver desconectada do seu espírito e do Espírito Santo de Deus, ela irá se frustrar todos os dias. Ela terá uma sensação de insuficiência e de incompletude, como se algo sempre estivesse faltando em sua vida. Ou seja, ela nunca estará satisfeita, e esse é justamente o sentido da frustração. Se a pessoa tem essa percepção, ela nunca se sentirá plena, nunca respeitará o seu corpo, nem a sua alma ou a sua essência. Quando uma pessoa vaga assim desencontrada pelo mundo, ela só encontra coisas erradas. Ela vive relacionamentos ruins, convive com pessoas nocivas, que a abastecem com pensamentos desfavoráveis. Essa pessoa perde a confiança em todos — inclusive nela mesma —, e se alimenta de escolhas erradas, de tal forma que sua vida passa a ser uma sucessão de equívocos e frustrações. No entanto, por estar desconectada do espírito, ela não se dá conta disso, e a cada erro ou a cada derrota ela pisa mais fundo no acelerador em busca de prazeres momentâneos, indo assim mais rápido na direção do precipício.

Deixe-me explicar como isso funciona.

Pessoas assim não conseguem, por exemplo, ficar sozinhas. Quando estão em casa, sentem uma solidão terrível, de modo que o peso do vazio é quase insuportável diante de tanta tristeza e frustração. Quando uma pessoa se depara com esse quadro, ela se encontra num estado de total vulnerabilidade. E, nessa condição, qualquer coisa serve para tentar aplacar aquele sentimento de frustração. Uma imagem que nos faz entender isso é aquela em que uma pessoa tem baixa imunidade e acaba justamente por isso ficando mais exposta a pegar determinadas doenças. Quando o sistema imunológico está enfraquecido, ele se transforma num fértil terreno para a doença. A mesma coisa acontece com o seu espírito: se ele está fraco, debilitado, e não é alimentado diariamente, haverá mais chances de o corpo ser contaminado pelos vírus da tristeza, da frustração e do fracasso.

Isso acontece em vários âmbitos da vida de uma pessoa. Passa, por exemplo, pelas coisas do dia a dia, às vezes por situações banais como irritação e brigas fúteis com membros da família, entre pais e filhos ou irmãos, ou mesmo no trabalho. Também passa pelos relacionamentos, situações em que casais discutem o tempo todo por qualquer coisa e sentem-se infelizes quando estão um ao lado do outro, sem entenderem a razão de tanta discórdia e insatisfação. No âmbito pessoal, também acontece quando a pessoa busca o mundo no lugar do espírito, e ela então se frustra porque nunca alcança a plenitude e também porque não consegue lidar, e muito menos entender, por que há um vazio tão grande em sua vida.

É curioso notar que nessas situações, o que está em jogo não é quanto dinheiro você ganha ou deixa de ganhar, ou a quantidade de bens materiais que você possui, ou se você é empresário ou desfruta dos mais variados prazeres da carne. Nada disso. Conheço empresários, tenho amigos ricos, pessoas que não se importam com o dia de amanhã, e nem por isso essas pessoas, ou pelo menos algumas delas, estão satisfeitas ou têm a sensação de plenitude no espírito. Esse é um vazio da alma, algo que não se preenche com coisas materiais, e que está além da necessidade da mente e do corpo. Enquanto você não preenche a sua alma com a conexão com o espírito, o vazio continuará. Você pode estar em qualquer lugar do mundo, e o vazio vai estar ali também, pois nenhum lugar conseguirá preencher a sua alma. Não são as pessoas ou as coisas ou o dinheiro que preencherão esse vazio. O que preencherá esse vazio é aquilo que falta na vida de todo o ser humano do planeta Terra: Jesus.

Se você se conecta com Jesus, automaticamente esse vazio vai sendo preenchido dia após dia com o amor que ele oferece a você. Isso ocorre porque, quando nascemos, fomos projetados à imagem e semelhança de Cristo e, num dado momento de nossa história, nós nos comportamos como aquele filho que vai embora de sua casa, sem conhecer o seu pai. Essa distância se consolida, o filho longe não sabe se o pai ainda está vivo, não sabe se pode contar com o pai ou não, e nem sabe direito onde poderia encontrá-lo. É essa ausência que produz o vazio, a frustração, a tristeza, a falta de plenitude. Quando a pessoa encontra o pai, ela sente o amor incondicional de Jesus, ela se sente em seus braços, acolhida, uma sensação que havia muito tempo ela não experimentava. Costumo dizer que essa sensação é igual à do primeiro amor.

Isso só é possível se você abrir o seu coração e der liberdade para Ele, Jesus, entrar. Você não precisa de mais nada. Isso não é uma religião; isso é o amor de Jesus entrando em você, e o seu amor abraçando a Jesus. Basta você entrar na presença Dele, abrir sua boca e seu coração e dizer:

"Senhor, eis-me aqui! Preencha esse vazio, pois eu convido você a estar comigo a partir de hoje, 24 horas por dia, 7 dias na semana."

Essa é a chave que abre a porta do mundo espiritual, chave esta que você obtém praticando diariamente o Método Sou.

Por isso, volto a enfatizar: Pratique o Método Sou todos os dias, preferencialmente na parte da manhã, por um período pequeno de tempo, se quiser falar com Jesus.

Os primeiros 15 ou 20 minutos do seu dia, logo que você acorda e se levanta, são os mais preciosos de sua jornada. Costumo chamar a primeira hora do dia de *GOLDEN HOUR*, pois aqui, nesse momento, sua mente está em paz, o dia ainda não começou, e você consegue facilmente conectar o seu espírito com o Espírito Santo de Deus. Essa é a hora mais importante do seu dia. É aqui que você determina o que acontecerá no seu trabalho, na sua casa, nas suas relações, e como serão as próximas horas do seu dia. Aqui você aquieta a sua mente, concentra-se, faz aflorar a sua fé, ora e se conecta plenamente com Jesus. A partir de então, o seu dia não será o mesmo, porque nesse momento você está fazendo o que é mais importante para você e para a sua alma, você está criando a atmosfera do seu dia.

Independentemente disso, como expliquei no capítulo 2, você pode (e deve!) usar momentos de descompressão para situações de emergência. Sempre que alguma urgência ou aflição aparecer (lembre-se, todos estamos sujeitos a elas!), você aciona a sua conexão, se concentra, aquieta a sua mente e estabelece uma comunicação com Jesus, como descrevi no pilar 7 do Método Sou: "Mate seu caos e silencie sua mente." Isso pode durar dois ou três minutos, justamente aqueles momentos em que você precisa de um fôlego para superar um impasse ou um acontecimento adverso ou inesperado. Esses momentos de descompressão são fundamentais para você oxigenar sua conexão com Jesus, renovando sua aliança com ele e ganhando força para superar os desafios do dia a dia.

Deixo aqui, no fim deste tópico, duas fórmulas que fazem a diferença na vida de uma pessoa, e que demonstram o quanto elas dedicam do sem tempo ao passado, ao presente e ao futuro. A primeira fórmula é a da "ansiedade junto ao medo", e a segunda é a do "sucesso sobrenatural". De modo geral, as pessoas conduzem suas vidas de acordo com essas fórmulas. Recomendo que você analise os dados a seguir, assinale o lugar em que você se enquadra e reflita sobre o que pode fazer para melhorar.

Fórmula 1:
Pessoas ansiosas ou depressivas passam a vida da seguinte maneira

1. Passado: 30% do seu tempo (revivendo coisas ruins, perdas, traições, rejeições, falência etc.).
2. Presente: 10% do seu tempo (dedicando apenas alguns minutos ou horas do dia; a mente não para).
3. Futuro: 60% do seu tempo (com incertezas, medos e dúvidas sem fim).

Você se identifica com o quadro acima?

Fórmula 2:
Pessoa que praticam o Método Sou e buscam sucesso passam a vida da seguinte maneira

1. Passado: 10% do seu tempo (dedicado a boas lembranças).
2. Presente: 60% do seu tempo (vivem plenamente, agradecem, celebram, choram, sorriem, estão sempre fazendo alguma coisa).
3. Futuro: 30% do seu tempo (criam uma visão atraente, sobrenatural, com metas claras).

Se começar a praticar o Método Sou agora, é assim que a vida transcorrerá para você!

A Prosperidade de Verdade: As Virtudes do Espírito

"²²Mas o Espírito produz este fruto: amor, alegria, paz, paciência, amabilidade, bondade, fidelidade, ²³mansidão e domínio próprio. Não há lei contra essas coisas!

"²⁴Aqueles que pertencem a Cristo Jesus crucificaram as paixões e os desejos de sua natureza humana. ²⁵Uma vez que vivemos pelo Espírito, sigamos a direção do Espírito em todas as áreas de nossa vida."

Gálatas 5:22-25

Vamos falar um pouco das virtudes do espírito. Lembre-se que é por elas, ou com elas, que você se reencontra e conecta-se no mais alto grau com Jesus.

As virtudes do espírito se dividem em três dimensões.

1. O estado da alma

A primeira dimensão é a do estado da alma. Essa dimensão envolve traços da personalidade, os quais definem o seu caráter, a sua bondade, o seu nível de confiança, de fidelidade e de integridade, entre outros. Observe que esses estados já existem dentro de você, e podem inclinar você tanto para o bem quanto para o mal, dependendo de suas disposições. Quando o seu espírito está conectado com o Espírito Santo de Deus, as vontades de traições, o olhar maldoso, a deslealdade, a desconfiança, enfim, nada disso sequer passa por sua mente. A conexão do espírito automaticamente bloqueia tudo isso. E, por consequência, seu caráter muda, assim como seus valores, o que faz de você alguém mais bondoso, mais confiável e mais íntegro. Aqui, uma velha alma morre para dar lugar a uma nova alma, mais viva, preenchida e plena.

Por outro lado, quando você se conecta apenas com os frutos da carne, você se torna uma pessoa individualista, alguém que só pensa em si mesmo.

Veja que ambos os caminhos estão a sua disposição. A diferença é que, quando você está conectado com as virtudes do espírito, você age como Jesus, ou seja, o "eu" individual dá lugar ao "todos nós".

Sua alma precisa de paz.

2. Sensibilidade relacional

A segunda dimensão é a da sensibilidade relacional (envolve amizades, relacionamentos conjugais e familiares, contatos em âmbito social ou profissional). Essa segunda dimensão tem a ver com o quanto você é ou se torna sensível e amável para relacionamentos. Isso abrange todos os âmbitos de sua vida, e envolve seus pais, familiares, amigos, cônjuges e até mesmo pessoas que não fazem parte do seu círculo, ou que você encontra eventualmente no trabalho, ou na escola ou em algum outro lugar. As virtudes que se destacam são: amabilidade, mansidão, ter-nura, domínio próprio, delicadeza, cuidado em tratar com as pessoas, ponderação, pensar antes de falar, compreensão, empatia etc. Todos esses aspectos são o que chamamos de sensibilidades relacionais, que são justamente as virtudes que o ajudam a ter melhores relações. Por-tanto, quando você busca e alimenta o seu espírito, você desenvolve habilidades especiais para lidar com diferentes pessoas em todas essas dimensões relacionais.

Se essa dimensão não se estabelece, você sempre viverá em conflito com pessoas. Não terá paciência para ouvi-las, e muito menos para compreendê-las. Se você não as ouve e nem as compreende, como pode se relacionar de modo saudável com elas? A tendência é que as pessoas se afastem, e que você passe a alimentar mais ainda a sua solidão.

3. A dimensão do espírito

A terceira dimensão é a do espírito.

É simples e essencial. Essa dimensão precisa única e exclusivamente de Deus. Porque seu espírito precisa de Deus para sobreviver.

Todas essas virtudes, em quaisquer dimensões, serão desenvolvidas à medida que você praticar, diariamente, o Método Sou. Essa transformação acontecerá dia após dia. Conforme o Método Sou é aplicado, você silencia sua mente, mata o caos e conecta-se com Deus, passando por todas as etapas que falamos no capítulo 2. É como se o seu espírito recebesse um banho de bênçãos, e pouco a pouco fosse se purificando e abandonando as obras da carne. Praticando todos os dias, você perceberá essa transformação ao longo do tempo; as virtudes vão desabrochar de uma forma sobrenatural. Isso aconteceu comigo, teve impacto na minha rotina, mudou o meu jeito de lidar com as pessoas, o meu olhar para a vida passou a ser mais bondoso, mais compassivo, e de tal forma que passei a me sentir muito mais forte para enfrentar os desafios do mundo.

Veja que o Método Sou não faz o mundo mudar; quem se transforma é você. E transformado, com seu espírito conectado no Espírito Santo de Deus, tudo então se transforma.

Fazer do Método Sou parte da sua rotina é essencial para que a sua vida se transforme. Não faz sentido você ser uma pessoa espiritualizada apenas aos domingos, ou quando vai à igreja ou em algum outro lugar. Você precisa ser uma pessoa espiritualizada diariamente, o tempo todo. Se você pensa no espírito e em Deus apenas um dia da semana, os outros seis dias vão engolir esse seu único dia dedicado ao Espírito Santo.

É por essa razão que você precisa se conectar todos os dias e alimentar o seu espírito, praticando o Método Sou.

Você também pode, como reforço das tarefas ligadas ao espírito, participar das *lives* que faço todos os dias pela manhã, de segunda a sexta, às 6h02. Ou ainda participar do meu canal, na Comunidade FreeDOM.

Acesse o QR Code e busque a playlist.

O Poder Está em Sua Boca

A maioria das pessoas não tem ideia da força de suas palavras. Pois digo que muitas das coisas que acontecem em sua vida são de alguma forma preditas ou profetizadas por você mesmo. Vou dar um exemplo.

Imagine que tudo o que você fala no seu dia a dia vire uma espécie de sopa. Isso mesmo, um caldo ensopado. Imagine isso, todas as suas ações, todas as suas palavras, suas decisões, imagine que tudo isso acabe num prato de sopa. Pense agora que esse prato de sopa será o seu alimento, ou seja, será esse prato de sopa que vai nutrir e abastecer quem você é, no mundo espiritual e natural.

Então, eu pergunto, e quero que você responda:

Você teria vida ou morte se tomasse esse prato de sopa todos os dias?

Você teria prosperidade ou miséria se tomasse todos os dias esse prato de sopa?

Você teria saúde ou enfermidade se tomasse essa sopa feita com suas ações e palavras?

Você se sentiria forte e nutrido, ou fraco e debilitado, se tomasse esse prato de sopa?

Olhe sua vida, o que vem fazendo e dizendo, e responda a você mesmo: esse prato de sopa com as suas ações e palavras seria suficiente para alimentá-lo?

Sobre esse ponto, o apóstolo Tiago nos traz valiosas lições nas cartas que escreveu.

156   #AINTELIGÊNCIADOSÉCULO

"[11]Irmãos, não falem mal uns dos outros. Se criticam e julgam uns aos outros, criticam e julgam a lei. Cabe-lhes, porém, praticar a lei, e não julgá-la. [12]Somente aquele que deu a lei é Juiz, e somente ele tem poder de salvar ou destruir. Portanto, que direito vocês têm de julgar o próximo?"

Tiago 4:11-12

Tiago também escreveu:

"[2]É verdade que todos nós cometemos muitos erros. Se pudéssemos controlar a língua, seríamos perfeitos, capazes de nos controlar em todos os outros sentidos.

"[3]Por exemplo, se colocamos um freio na boca do cavalo, podemos conduzi-lo para onde quisermos.

"[10]E, assim, bênção e maldição saem da mesma boca."

Tiago 3:2-3, 10

E há ainda o seguinte:

"[21]A língua tem poder para trazer morte ou vida; quem gosta de falar arcará com as consequências."

Provérbios 18:21

Quando você se dá conta do sentido desses versículos, certamente percebe o impacto que podem ter em sua vida. Quando isso acontece, você para de criticar e de reclamar da vida e dos homens. Todos somos imagem e semelhança de Deus. Se criticamos o outro, estamos na verdade, como juízes, criticando a imagem e semelhança de Deus, isso é, o próprio Deus.

É isso que o apóstolo Tiago nos diz.

Se você reclama da vida, diz que não consegue vencer no mundo, que os outros não lhe consideram, que as coisas nunca dão certo, e que a sua vida é um emaranhado sem fim de coisas mal resolvidas, o que você faz é colocar profecias em sua vida, destruindo seus sonhos e seu futuro. Portanto, você precisa parar de fazer isso e começar a profetizar milagres e bênçãos para ter um futuro sobrenatural. **O jogo da vida é 100% espiritual.**

Dentro desse escopo, posso dizer que existem três tipos de pessoas:

1. **Os contaminados**: de suas bocas só saem misérias, desesperança e coisas ruins:

2. **Os naturais**: de suas bocas, às vezes, em alguns dias da semana, ou em alguns momentos, saem coisas positivas. Mas, nos outros momentos, saem também coisas negativas.

3. **Os sobrenaturais**: são justamente aquelas pessoas que geram o milagre, que geram a fé inabalável. Elas não vivem a vida delas por aquilo que acontece hoje, no instante presente. Elas vivem a vida em razão daquilo que projetam no futuro. Chamo à existência aquilo que ainda não é, como se fosse. "**Ele é nosso pai aos olhos de Deus, em quem creu, o Deus que dá vida aos mortos e chama à existência coisas que não existem, como se existissem.**"

Para as irmãs de Lázaro, ele havia morrido, porque elas estavam olhando a situação real de Lázaro, um defunto enterrado. Mas, para Jesus, ele estava dormindo. Sabe por quê? Porque a visão de Jesus é sempre sobrenatural, ele nunca olha o problema, ele sempre projeta o milagre do futuro para o presente. Da boca de Jesus sai vida.

Veja o que ele falou:

> "⁴⁰Jesus respondeu: 'Eu não lhe disse que, se você cresse, veria a glória de Deus?'. ⁴¹Então rolaram a pedra para o lado."

Ou seja, sem fé é impossível viver o sobrenatural no mundo espiritual!

> "Jesus olhou para o céu e disse: 'Pai, eu te agradeço porque me ouviste.'"

Preste atenção aqui mais uma vez, porque esta é a chave da prosperidade. Antes do milagre sobrenatural, Jesus levanta os olhos, olha para cima e agradece a Deus. Ou seja, não tem como você viver o sobrenatural olhando para baixo, sem agradecer o que tem hoje.

> "⁴³Então Jesus gritou: 'Lázaro, venha para fora!'. ⁴⁴E o morto saiu, com as mãos e os pés presos com faixas e o rosto envolto num pano. Jesus disse: 'Desamarrem as faixas e deixem-no ir!'."

> **João 11:40-41, 43-44**

Ou seja: se você não abrir sua boca e governar com autoridade, você viverá uma vida inteira enrolado, assim como Lázaro. Jesus se posicionou com autoridade e deu ordens no reino espiritual.

Tudo aquilo que você diz tem a abrangência de um e-mail cujo alcance é maior que 10 mil quilômetros. Quem diz isso é escritor e palestrante Jack Canfield. Logo, tudo o que você diz, tem poder; poder sobre o seu presente, sobre o seu futuro; poder sobre a sua vida.

Se a sua palavra tem poder, você precisa usá-la como se fossem sementes, e você fosse um profeta do seu futuro, gerando sua vida, mesmo que ainda não a tenha vivido. Isto está na lei da atração: você não pode receber nada que seja contrário ao que você está dando. Se você joga para o mundo misérias e tragédias, o que você acha que receberá de volta? Misérias e tragédias. Se, ao contrário, você faz a declaração que falamos no Método Sou, isso é, se você diz e se coloca como *ousadia*, como *coragem*, como *amor* e como *paz*, dizendo que sua vida será extraordinária, profetizando todos os dias a vida que gostaria de ter, é isso que você irá encontrar e receber. O que inclui pensar na mulher que você gostaria de ter, nos filhos que gostaria de ter, no tipo de vida que gostaria de ter — mesmo que você ainda não tenha nada disso!

É importante compreender que você não viva pelo que enxerga; mas sim pelo que crê.

Por isso que, se você acredita que sua vida está mal, não há como conseguir uma vida melhor. No entanto, mesmo que você esteja passando por dificuldades, se acreditar com fé que dias melhores virão, se imaginar como serão esses dias, como vai estar a sua vida nesse lugar futuro, certamente você alcançará esse novo estágio.

Mude as sementes (suas palavras) e você colherá frutos lindos e saudáveis (que serão seus resultados).

Desafio dos 7 Dias: O *Detox* da Língua

Digo às pessoas que a língua tem vida própria. Todas as vezes que você for falar mal de alguém ou reclamar da vida, morda a sua língua. E diga a ela:

"Eu mando em você, eu controlo você, e não o contrário."

Uma palavra solta, uma palavra que escapa da sua boca e vai para o mundo, ela nunca mais volta. Só quando você põe a sua língua no lugar dela é que você tem controle sobre a sua vida. A língua é uma vida e dela pode sair vida ou morte.

Minha mensagem para você neste momento é:

Feche a sua boca!

Fique sete dias sem falar qualquer besteira, sem fazer fofocas, sem criticar ninguém, sem julgar e sem falar mal de ninguém.

E fique por sete dias só abençoando a sua vida, agradecendo as pessoas que o cercam, os seus amigos, tudo que o rodeia.

Por sete dias!

Será que você consegue?

Não tenho dúvidas que conseguirá. Se você chegou até aqui, tenho certeza de que sua vida vai se transformar.

Minha dica para você, nesse momento é: **Seja alguém que gere o milagre, e não alguém que espera o milagre.**

Até o próximo capítulo!

OS SUPERPODERES DO ESPÍRITO

CAPÍTULO 6

— PODEM MUDAR SUA ATMOSFERA

"Você tem o poder para mudar a atmosfera. E, quando você muda sua atmosfera, você muda completamente a sua vida."

— **PYERO TAVOLAZZI**

stamos chegando ao fim do livro. Vamos falar agora da força do espírito e como ela amplifica e potencializa a sua trajetória no mundo.

A força física se manifesta normalmente quando você se levanta pela manhã, toma seu café, toma seu banho, se troca e sai para o trabalho. Como sempre acontece todos os dias. Essa é a rotina da maioria das pessoas, com pequenas variações de horários. Todos fazemos isso de maneira natural, quase automática, por estarmos adaptados a esse modo de viver. Para fazer isso, para cumprir todas essas obrigações, tudo o que precisamos é de força física e mental, ou seja, de energia, não importa o que você faça ou em que área atue, seja no seu trabalho, na sua empresa, na escola, em casa ou no seu projeto. É desnecessário dizer que o emprego dessa energia, dessa força física e mental, trará cansaço e esgotamento físico e mental, depois de um dia inteiro trabalhando. Isso ocorre com a maioria das pessoas, que tem na força física e mental o seu alicerce. Se você se sente cansado e esgotado, a consequência é que você também se sentirá limitado, sem aquele gás para fazer qualquer outra coisa que saia da sua rotina.

O problema desse comportamento é que, por ser repetitivo, ele inibe você de fazer qualquer outra coisa diferente daquilo que não foi previsto na sua rotina. O seu tempo é sempre limitado, e nele só cabem as coisas que você faz rotineiramente. Pensar um novo projeto ou encontrar tempo para estar mais perto da família, por exemplo, são coisas que as pessoas de modo geral têm muita dificuldade em fazer. O mesmo acontece com a saúde dessas pessoas, que acaba ficando num segundo plano, pois não há tempo para exercícios, para relaxamento, para estar de verdade com você mesmo. Afinal, se você está ou se sente cansado e esgotado, tudo o que você quer fazer é parar, dar um tempo, evitar qualquer coisa que saia da sua rotina. Você esmorece, perde o pique, a garra, não tem vontade para nada.

Enfim, isso é o que acontece quando você usa apenas as forças física e mental.

A energia espiritual, por outro lado, é a força mais revigorante que o ser humano pode dispor. Com ela, para começar, você se torna mais resiliente. O que quer dizer isso? Significa que você aumenta sua capacidade de lidar e superar dificuldades, suporta melhor as pressões do dia a dia, e consegue potência para se concentrar naquilo que realmente importa na sua vida. **A energia espiritual faz você acessar forças sobrenaturais, como se você adquirisse poderes invisíveis**, o que lhe permite mudar a atmosfera de tudo o que está a sua volta, deixando o seu dia mais leve. Isso só é possível quando você deixa de acessar apenas a sua força física e passa a usufruir da sua energia espiritual, criando novos cenários de atuação.

O que estou dizendo é que, se você usar sua energia ou força espiritual, poderá ir muito além; muito além do que podem lhe oferecer suas forças física e mental. Mas como você pode fazer isso? Como pode dispor dessa energia espiritual?

Seu Lar É a Representação do Reino de Deus

Como já disse nos outros capítulos, a energia espiritual não é uma fórmula mágica, nem algo que você possa comprar numa farmácia quando estiver doente. Embora você tenha de manter seu espírito conectado o tempo todo para usufruir de seus benefícios, essa é uma energia que você constrói e armazena no dia a dia. Quanto mais você acessa essa força, mais você se beneficia dela. Isso começa no dia a dia — reveja os passos do Método Sou —, antes mesmo de você sair de casa, porque seu lar é a representação do reino de Deus na Terra, e é neste lugar que você deve primeiramente conectar seu espírito, seguindo os passos descritos no Método Sou.

Mas o que é o reino de Deus? Talvez você se pergunte. O reino de Deus é amor, é paz, é harmonia, é bondade, é prosperidade, é temperança. É apenas isso, mas isso é tudo! Seu lar precisa refletir esse reino. Se o seu lar não estiver representando isso, certamente você está construindo sua vida em cima da força física e mental, e posso garantir a você que ela é limitada e você irá se cansar.

Quando começa a cultivar a energia espiritual, todos os dias, você vai aos poucos construindo essa nova atmosfera; você começa a criar diferentes cenários para atuar e ganha musculatura psicológica e emocional para enfrentar os desafios da vida e do mundo. Mas é importante que isso comece na sua base, no seu lar, que é o painel de controle da sua vida. Não importa aonde você vá depois que sai de casa; o lar continua sendo o seu painel de controle. É no seu lar que logo pela manhã você se enche dessa atmosfera que irá acompanhá-lo por todo o dia. Seu lar tem que ser um pedacinho do céu. Se isso não estiver acontecendo, você está desconectado espiritualmente, e está dando legalidade para seu lar se transformar num pedacinho do inferno. Traga o Espírito Santo de Deus para o centro do seu lar! Se esse painel estiver desconectado, se ele não estiver abastecido, uma hora ele vai entrar em curto-circuito, vai dar alguma pane. E essa pane vai se refletir ao longo do seu dia, com desgastes, cansaço, frustração, melancolia, no seu trabalho e até na sua família.

Ou seja, quando você utiliza apenas as forças física e mental, você passa a ser um ser humano limitado, porque se expressa a partir das suas fraquezas. Quando você alimenta seu espírito, você começa a ganhar doses diárias de superpoderes, de fé inabalável, de coragem, de ousadia, de discernimento, de paz e de amor. É no dia a dia que isso acontece, como se você recebesse doses homeopáticas desses superpoderes num conta-gotas. Ao longo do tempo, com o passar dos dias, aos poucos você vai construindo uma fortaleza, cada vez mais resiliente, com forças sobrenaturais. Você passa a viver no reino espiritual.

É claro que você não deve abandonar o lado físico, mas é que, antes do físico, você passa a acessar o âmbito espiritual, isto é, a se conectar com o reino espiritual. É importante essa distinção: o físico é limitado, por isso ele se esgota, cansa, acaba. Já o espírito é ilimitado, pois é divino e sobrenatural.

Outro ponto a ser observado é que, quando uma pessoa baseia sua trajetória apenas na força física, é certo que a maioria dos problemas dela nem sequer existiria, num índice que pode chegar a 90%, porque esses problemas são ilusórios. Isso mesmo. A pessoa, nesse caso, cria e convive com fantasmas. Cria medos fictícios, ansiedade e inimigos que precisa vencer e derrotar todos os dias — só que ela não consegue vencer esses inimigos, pois eles são invisíveis, e são imaginários. No entanto, estão presentes na vida dessas pessoas, em suas mentes, todos os dias. No fim do dia, a derrota é iminente. A pessoa sente-se esgotada, não quer saber de mais nada, está consumida.

Se, por outro lado, essa pessoa cultiva a força do espírito, ela elimina os problemas imaginários; não perde tempo com eles. E, quando os problemas reais aparecerem, eles não roubarão sua energia. No papel da força física, o ser humano é tomado pelo caos e pelos problemas. Na força espiritual, é ele, o ser humano, quem coordena e domina o que está a sua volta.

Quando Deus criou o mundo, ele deixou bem claro ao dizer ao homem: "Dominai sobre os seus problemas, dominai sobre as circunstâncias, dominai sobre o caos, dominai sobre os animais." E isso incluiu, sobretudo, o domínio de você sobre você mesmo, o que só é possível quando você sai da força física e restabelece a força espiritual.

É claro que existem técnicas para você alimentar seu corpo físico, preservando um pouco de energia, sem se esgotar tanto. Por exemplo, mais de 80% do seu corpo e cérebro é água. Logo, se você beber mais água, seu raciocínio se tornará mais fluido, mais rápido, você se cansará menos, pensará melhor e, consequentemente, renderá mais. Se você comer menos carboidratos, e mais frutas, verduras e líquidos, de modo geral, vai se sentir mais leve e mais disposto. Esses são artifícios para o corpo físico.

Mas quais seriam, então, os artifícios para seu espírito? O que fazer para alimentá-lo e torná-lo mais forte?

Bem, não há outro meio a não ser o de se conectar com o reino espiritual, ou seja, plugar seu espírito ao Espírito Santo de Deus por meio da oração e da adoração. Isso traz alimento para o espírito e a possibilidade de conquistas intangíveis. O caminho, como foi colocado anteriormente, está nas etapas previstas pelo Método Sou.

Os Superpoderes

Quando seu espírito está em harmonia com o Espírito Santo de Deus, você passa a ter o poder da cura, o poder do novo, o poder da transformação. Em minhas palestras e cursos, sempre reconto a história, que está nos evangelhos, de quando o Senhor curou uma mulher que morava na cidade de Cafarnaum. Jesus vinha passando por aquela localidade e, como sempre, estava rodeado de uma multidão que queria ouvi-lo ou conhecê-lo. Nesse mesmo local, havia uma mulher que padecia de uma espécie de hemorragia constante, um fluxo de sangue ininterrupto, havia mais de 12 anos. Ela já havia procurado todos os médicos locais, seguido diferentes dietas, e nada tinha funcionado para estancar seu sangue. Ao ouvir falar de Jesus, do seu poder e dos seus milagres, ela então imaginou, como dizem os evangelistas, que se conseguisse tocar as vestes de Jesus, sem importuná-lo no meio daquela multidão, ela seria curada, e Jesus sequer ficaria sabendo, em razão da quantidade de pessoas que o cercavam. E foi exatamente isso que ela fez. Ela tentou se aproximar de Jesus até conseguir tocar suas vestes, e tocou-o. No mesmo instante, Jesus, que vinha caminhando e conversando, parou e perguntou aos seus discípulos: "Quem me tocou?" E, claro, os discípulos riram e disseram: "Mas, Senhor, como assim? Estamos no meio de uma multidão!" Ao que Jesus disse: "Sim, eu sei, mas esse toque foi diferente; de mim saiu virtude, alguém me tocou de um modo diferente, alguém com uma fé inabalável, acreditando que eu possa curar essa pessoa." E ela foi de fato curada, conforme conta Marcos 5.

Quando Jesus diz que dele saiu virtude, ele está dizendo que dele está saindo poder, está saindo cura, está saindo o novo. Quando digo que as pessoas devem conectar o seu espírito ao Espírito Santo de Deus, quero dizer que elas vão receber virtude, vão receber poder, justamente o poder que está em Gálatas, 5:22-23 (epístola de Paulo).

> "²²**Mas o Espírito produz este fruto: amor, alegria, paz, paciência, amabilidade, bondade, fidelidade,** ²³**mansidão e domínio próprio. Não há lei contra essas coisas!**"

Se buscar, você receberá. Quando você ora na presença de Jesus, quando se conecta e pratica o Método Sou, você está buscando esses poderes. E os receberá.

Transformando a Atmosfera

Todos nós, e aqui me incluo, temos o poder de criar a atmosfera em que vivemos. Mas o que é essa atmosfera? É uma energia, algo sobrenatural em que você está imerso, que toma seu coração e também tudo aquilo que está a sua volta. Isso acontece de uma maneira que não podemos enxergar, mas você sente a presença dessa atmosfera em sua vida. Todos temos esse dom de criar essa atmosfera. Assim como o ar que você respira, e não vê, essa atmosfera também está presente. E, apesar de não a ver, você é capaz de senti-la em sua vida.

Vou dar um exemplo. Certamente você já foi a algum lugar cujo ambiente pareceu-lhe carregado, pesado, lugar em que você teve a nítida sensação de que a energia ali presente era algo que iria lhe fazer mal — pode ter sido num bar, numa sala de reunião, na casa de alguém com muito problemas de relacionamento etc. Num ambiente como esse você encontra discórdia, desentendimento e intriga; e em alguns casos chega até a se sentir mal fisicamente. Pois nesses lugares a atmosfera é mesmo ruim, pesada. Essa atmosfera é reflexo da liderança daquele lugar, uma liderança cuja cabeça está carregada; há uma tensão permanente no local, uma atmosfera que põe você para baixo o tempo todo, e que suga completamente a sua energia.

Todos nós já passamos por lugares como esses. O que muitas vezes nos passa despercebido é que cada um de nós também pode, muitas vezes, estar alimentando ambientes como esse. Se você não cuida de sua casa, se não cuida do seu espírito, essa atmosfera não só vai lhe acompanhar como estará presente em todos os lugares por onde passar. Outro aspecto é que muitas vezes somos influenciados por esse tipo de atmosfera. Às vezes você está, como dizem, com um bom astral, mas chega num lugar desses (pode ser seu trabalho, ou o contato com alguém que não está bem emocionalmente) e percebe que o outro está carregado, cheio de pensamentos ruins, negativos. E isso acaba influenciando o seu próprio comportamento, suas atitudes, contaminando todo o seu dia, a ponto de muitas vezes você carregar essa atmosfera, que nem era sua, para outros ambientes.

Há casos ainda mais complicados. Aqueles em que as pessoas crescem e são criadas num ambiente conturbado, talvez com miséria, talvez com pobreza, sendo maltratadas, atormentadas e até abusadas! Sofreram tanto que passaram a acreditar que o mundo é apenas perversidade. Essas pessoas desconfiam de tudo, perderam a fé no mundo e no ser humano, não têm amor, perderam a confiança em Deus e em si mesmas. A amargura e a destruição estão o tempo todo presentes em pessoas que viveram em uma atmosfera ruim.

Pessoas que vivem nesse tipo de atmosfera acabam criando prisões mentais, que chamamos de medo. É daí que nasce o medo do abandono, o medo de ser desprezado, o medo de ficar sozinho, o medo de não conseguir realizar seus sonhos e projetos, a insegurança, o medo de não ser bom o suficiente, o medo de perder tudo. E quais são as consequências e sintomas desse tipo de atmosfera? São as mentiras que a pessoa acaba criando e contando para si mesma, que no fundo são um jeito que a mente inventa de justificar os próprios medos. A pessoa, quando convive muito tempo dentro dessa atmosfera, passa a ser governada por esse ambiente. Essa atmosfera é envolvente e dominadora, e sempre será mais forte que você. Isso acontece porque esse clima influi e interfere em suas atitudes, comportamentos e resultados — que passam a ser definidos por essa atmosfera que a pessoa vive. Nesses casos, meu conselho é o seguinte: mude completamente de ambiente (casa, trabalho, bairro, cidade); vá para um ambiente mais leve e crie a partir dele a sua própria atmosfera de prosperidade, paz, amor, segurança, união etc.

Lembro que na minha infância eu morava num bairro tão pesado, mas tão pesado, que a atmosfera daquele lugar pairava sobre a minha casa. O clima era de miséria, pobreza, tristeza, escassez e enfermidade. Foi preciso que nos mudássemos, eu e minha família, e procurássemos um bairro com outra atmosfera. E foi só depois disso que as coisas começaram a melhorar. Foi impressionante perceber essa diferença. Isso acontece porque **a atmosfera tem o poder de puxar você para baixo o tempo todo — ou de levá-lo para o céu como um foguete!**

Mais uma vez, repito: isso acontece porque a pessoa foi criada numa atmosfera ruim, negativa, ou está em uma atmosfera assim, que engendrou este gatilho negativo de medo e de miséria.

Lembra-se dos fantasmas que falei acima, dos problemas ilusórios, e da insuficiência da força física? Pois é, esse é o quadro de pessoas que abandonam o espírito.

O ponto essencial a ser compreendido aqui é que você pode mudar essa atmosfera. E, se você muda a sua atmosfera, você muda a sua vida, muda a sua visão e muda o que está a sua volta. O primeiro passo para isso é mudar a sua mente, no sentido de criar uma nova atmosfera dentro de você e dentro de um ambiente libertador.

Mas como você pode reconhecer a natureza dessa atmosfera? Se ela boa ou ruim?

Como eu disse, Deus nunca quer o nosso mal, e justamente por isso ele nos dá o livre-arbítrio para decidir o que queremos fazer da nossa vida. Quando você, por exemplo, pensa ou imagina que nunca terá sucesso, você pode apostar, com certeza, que não é isso o que Deus pensa de você. Jesus já enxerga você conquistando e governando aqui na Terra; pois ele sempre quer o nosso bem!

Se você acredita que Deus não se importa com você, digo então a mesma coisa: esse não é o pensamento que Deus tem sobre você. Se você acredita que está sendo perseguido, ou que todas as pessoas têm inveja de você, e por isso você deve evitá-las, novamente repito: este não é o pensamento de Deus, pelo contrário. Deus quer você em harmonia, Deus quer o seu bem, e quer que você espalhe bondade, harmonia, paz e amor entre os seus.

Ora, se você pensa diferente disso, você está indo contra o pensamento de Deus.

Se os pensamentos que você tem trouxerem alguma indicação ou seta destrutiva, tenha a certeza de que esses não são os pensamentos de Deus, não é o que Deus quer para a sua vida. Quando esse é o pensamento que predomina no seu dia a dia, então você vive dentro de uma atmosfera negativa que irá acompanhá-lo onde quer que você vá, sempre prejudicando e derrubando você.

Quais são sua visão e mentalidade?

Você precisa ter a visão e a mentalidade de Jesus. Ele mudava completamente a atmosfera dos lugares por onde passava, porque sua visão e sua mentalidade só enxergavam oportunidades de cura, de milagre, de multiplicação, de vida, de novo tempo, de refrigério. Ele criava a atmosfera dele e as pessoas entravam nessa atmosfera. Você também pode criar uma atmosfera de poder sobrenatural, pois você é imagem e semelhança de Cristo, e tem a natureza dele. Olhe o que ele disse:

> "¹²Eu lhes digo a verdade: quem crê em mim fará as mesmas obras que tenho realizado, e até maiores, pois eu vou para o Pai.
>
> "¹³Vocês podem pedir qualquer coisa em meu nome, e eu o farei, para que o Filho glorifique o Pai.
>
> "¹⁴Sim, peçam qualquer coisa em meu nome, e eu o farei!"
>
> João 14:12-14

Em que atmosfera sua mente está inserida?

Para saber isso, você precisa identificar quais pensamentos predominam em sua vida — podemos falar aqui nas coisas que você acredita, de modo geral. Uma vez identificados esses pensamentos/crenças, há oportunidade para mudá-los, sintonizando-os com o pensamento de Deus.

Por exemplo, em vez de acreditar que todos estão contra você, elimine esses fantasmas da sua mente. Quando você acredita nisso, você deixa de se relacionar com pessoas, e se isola, porque tem medo do que elas poderão fazer com você. Só que isso não é verdade, isso são fantasmas criados por sua mente. Assim como essa, uma série de mentiras faz parte dessa atmosfera enganosa, perniciosa, que lhe prejudica. Veja algumas delas:

- Se eu tivesse mais tempo, faria muito mais coisas.
- É melhor me calar, porque assim ninguém vai dizer que sou estúpido.
- Se eu não fizer, ninguém vai conseguir fazer (dificuldades em delegar).
- Ninguém reconhece quão bom sou no que faço, por isso não vou mais investir nisso.
- Se eu não tomar cuidado, vão puxar o meu tapete.
- Se eu tivesse... (alguma coisa específica), minha vida seria muito melhor.
- Estou velho demais para tentar.
- Não posso mudar porque sempre fui assim.
- Por que eu não dou certo em nada?
- Nasci para ficar sozinho(a).
- Tudo o que eu coloco a mão dá errado!
- Ninguém me ama, estou sozinho no mundo.
- Não sou bom o suficiente (incapacidade).
- Mas, se eu fracassar, o que vão pensar de mim? (Medo de errar.)

Será que isso faz sentido? Você se identificou com alguma dessas declarações?

Não se martirize. Todos, de alguma forma, em algum momento de nossas vidas, alimentamos mentiras como essas. O importante agora é reconhecer que isso se passa apenas em sua mente; e o fundamental é mudar: mudar seus pensamentos, mudar essa atmosfera, mudar de vida.

Quando você abre seu coração, assume e reconhece de maneira clara e objetiva as mentiras que estão dentro dele e as troca pelas verdades reveladas por Deus, sua atmosfera começa a se transformar.

Preencha o quadro a seguir de forma comparativa, sendo o mais verdadeiro possível consigo mesmo:

Quais mentiras você pensa sobre você?	Quais verdades Deus revelou a você?
	Você é amor.
	Você é paz.
	Você é bondade.
	Você é imagem e semelhança de Cristo.
	Você nasceu para dominar.
	Você é luz neste mundo.
	Você é poder.

Declare em voz alta essas verdades que Deus revelou a seu respeito.

Tudo o que for contrário às verdades reveladas por Cristo é sua mente que está criando e mentindo para você. É daí que nascem as crenças e o medo que paralisante, e que faz com que você não assuma a atmosfera de poder que Deus quer colocar em sua vida.

A liberdade aparece quando você remove as mentiras da sua mente, e coloca em seu lugar as verdades de Deus. Com as verdades de Deus, você se liberta dos pensamentos nocivos que estão acabando com você. Sobretudo porque 90% dos seus pensamentos e medos, como eu disse, não vão acontecer, porque eles sequer existem. É simples assim.

Quando você confronta essas mentiras e fantasmas com as verdades de Deus, você começa a mudar sua atmosfera. Desse conflito nasce o convite para que o Espírito Santo de Deus esteja com você.

Para ativá-lo em sua vida, você deve lhe fazer algumas perguntas (e é muito importante que você as responda!)

Espírito Santo

Qual é a atmosfera negativa que estou emitindo através de mim?

Que mentiras criadas pela minha mente estão presentes em minha vida e têm se manifestado em minhas atitudes, de forma prejudicial a mim mesmo?

O que preciso fazer para melhorar e me curar dessas mentiras?

Quais são as verdades que você quer colocar na minha vida a partir de hoje?

Quais são as verdades que você pensa a meu respeito a partir de hoje?

Mudando a Atmosfera: O Espírito Santo Encorajador

Peça também para que o Espírito lhe mostre como e quem incutiu essa atmosfera em sua vida. Identifique essas pessoas e momentos, e perdoe a todas elas de coração. E depois deixe-as partir de sua vida.

O caminho é este: identifique a atmosfera (e as mentiras que a sustentam) e chame o Espírito Santo de Deus para ser o seu parceiro e aliado na elaboração da nova e libertadora atmosfera que você criará para a sua vida. É nesse espírito que você deve depositar toda a sua confiança e esperança. Lembre-se do que disse Jesus antes de partir:

> "[25]Eu digo estas coisas enquanto ainda estou com vocês. [26]Mas quando o Pai enviar o Encorajador, o Espírito Santo, como meu representante, ele lhes ensinará todas as coisas e os fará lembrar tudo que eu lhes disse."
>
> João 14:25-26

**O Espírito Santo está entre nós.
Você pode chamá-lo e consultá-lo
que ele irá ouvi-lo e
vai atender-lhe.**

Depois de identificar a velha atmosfera, descobrir por que você a adotou em sua vida, fazer as perguntas que deixei acima, ouvir as verdades do espírito e as colocar em seu coração, é hora então de agradecer, dizendo assim:

- Espírito Santo, obrigado.

- Obrigado por curar meu coração.

- Obrigado por curar minha alma.

- Obrigado por curar meu espírito.

- Obrigado por modificar minha atmosfera.

- Que essa atmosfera seja modificada todos os dias, no sentido de fortalecer sua presença em minha vida, porque eu escolho ser... (Complete aqui com a sua escolha).

Mudando a Atmosfera e Dominando o Painel de Controle

Da mesma forma que está em suas mãos mudar a sua atmosfera individual, você também tem o poder de mudar a atmosfera do seu lar. Quando transformar sua atmosfera individual, você precisará espalhar essa transformação no seu lar. Não importa onde você mora, se é um lugar simples ou suntuoso; o importante é espalhar essa energia para todos com quem você convive.

O seu lar, como eu disse, é a sua base, a sua central de comando. Pense na sua casa como o painel de controle da sua vida. É aí onde tudo começa, esteja você morando sozinho, casado ou com filhos, ou com seus pais e irmãos. Sua casa é como um avião, e por ser o comandante desse avião, você precisa escolher quem vai voar com você, e como vai voar! Mas, para que esse avião decole e pouse com precisão, e para que você tenha um voo saudável e seguro, é imprescindível que você conheça tudo, absolutamente tudo sobre o seu painel de controle. Isso é importante porque tudo o que você acionar, ou não acionar, no seu painel de controle se refletirá na trajetória do seu voo. Ou seja, tudo o que acontecer na sua casa se refletirá na maneira como você se relaciona com as pessoas, incluindo a qualidade das relações que terá com elas; se refletirá no seu emprego, nos seus funcionários, na sua empresa.

Ou seja, a atmosfera do lar impactará suas atitudes mundo afora. Por isso esse painel de controle precisa estar em ordem, tudo tem de estar funcionando, de maneira sincronizada, incluindo todos aqueles com os quais você convive no seu lar.

Por outro lado, se o painel estiver em curto, ou em pane, o avião não sai do chão.

O seu lar, portanto, é o ambiente onde você e sua família assumem o controle total da atmosfera da sua vida. Isso tem a ver com absolutamente tudo o que acontece na sua casa. Tudo o que você faz nela é uma escolha. O que seus filhos assistem na televisão, por exemplo, impacta na sua atmosfera. Da mesma forma, o que você prioriza, o tipo de consumo que adota, o tipo de livro que lê, os padrões de *status*, relacionamentos, amizades, tudo impacta na sua atmosfera. Daí a pergunta: que atmosfera você quer para a sua família?

"Não olharei para coisa alguma que seja má e vulgar."

Salmos 101:3

Sua casa tem de ser a representação do reino de Deus na Terra. Sua casa tem de ser o reino de bênçãos, de paz, de amor, de abundância, de prosperidade, de segurança e de todas as coisas maravilhosas que existem na Terra. Quando outras pessoas entrarem em sua casa, elas devem sentir essa atmosfera, saber que o ambiente onde você vive é um lugar sagrado.

Para fazer isso, conecte-se ao Espírito Santo e convide-o dizendo:

> "Espírito Santo de Deus, eu entro na sua presença em nome de Jesus, esteja comigo nesta casa, esteja no controle; eu declaro que a sua atmosfera esteja aqui (peça e expresse aqui a atmosfera que você quer ter no seu lar, com paz, amor, prosperidade etc.)."

Vou dar um exemplo do que faço na minha casa.

Todos os dias eu oro entrando nesta atmosfera e peço:

> "Espírito Santo de Deus, eu declaro a sua atmosfera de prosperidade, paz, poder, amor, união, bondade, longevidade, temperança, paciência, sabedoria, unção, todas elas estabelecidas aqui no meu lar. Faça deste lar o seu lar, eu te convido, Espírito Santo de Deus, a morar e a conviver comigo aqui nesta casa, e escolho essa atmosfera para abraçar esta casa. Também te dou liberdade para colocar qualquer outra atmosfera aqui dentro deste lar, e qualquer pessoa

que entrar por esta porta sentirá a tua presença aqui. Não aceito nenhuma interferência espiritual negativa entrando neste lar, em nome de Jesus, amém."

Se você for casado, ou estiver com seus filhos, reúna-os e diga que, a partir de hoje, daquele momento em diante, vocês vão escolher que atmosfera colocarão em seu lar. A pergunta a ser feita a todos é esta: o que queremos sentir quando entramos em casa? Ou: o que as pessoas devem sentir quando nos visitarem?

Lembre-se de que você só consegue mudar a sua atmosfera se estiver na presença do Espírito Santo, e identificar quais são as mentiras que você está contando para você mesmo. Se você não identifica as mentiras, você fica travado, você não rompe, e nesse caso as mentiras se tornam verdades a seu respeito. Se você acredita na mentira de que nunca vai ter sucesso na vida, ela se torna uma verdade na sua vida. E, em cima dessa suposta verdade, você constrói um ideal de mentira, o ideal de que nunca vai ter sucesso na vida. É um processo lógico, embora não faça sentido. Toda mentira que você planta e semeia na sua mente se torna verdade na sua vida. Por outro lado, toda a verdade de Cristo que você alimentar e plantar se tornará realidade na sua vida.

O poder de mudar sua atmosfera está na sua fala. Sua atmosfera blindará você, pois onde há luz não há trevas.

Toda atmosfera que você decidir ligar na Terra será religada no céu.

Faça isso todos os dias, por cinco a dez minutos: dê as mãos à sua esposa ou ao seu marido, e também aos seus filhos ou membros da família, e declare:

> Eu convido o Espírito Santo de Deus a estar no controle deste avião, assumindo o controle deste painel, assumindo o controle da minha casa. Quero que a partir de agora você modifique essa atmosfera, começando por cada um de nós. Jesus, tu és bem-vindo nesta casa, assuma o controle do nosso dia hoje. Escolhemos estabelecer esta atmosfera aqui neste lar (coloque aqui o que você, sua família e quem visitar você sentirá quando entrar na sua casa).

Faça isso todos os dias e garanto que, em sete dias, a transformação acontecerá de maneira sobrenatural. Faça disso um ritual diário para prosperidade e abundância da família.

Quando a unidade familiar funciona do jeito que você planejou, todos os membros da família que estão com você são respeitados e prosperam. Isso é muito poderoso!

E isso tem de acontecer todos os dias, junto com o Método Sou, mas agora dentro de sua casa. É o momento em que o homem e a mulher, o casal, fazem uma sociedade com o Espírito Santo.

Religião e Ambiente

Esta parte é muito delicada, mas vou expor a minha visão e o que eu faço, tudo isso pensando em nutrir a minha atmosfera. Lembre-se de que a sua vida é governada pela atmosfera que você cria ou pela atmosfera que você frequenta.

Como você deve ter percebido, não trago neste livro nenhum contexto religioso. O que tenho feito aqui é ensinar a você, de forma prática, como alimentar seu espírito todos os dias — e não só no lugar religioso que você frequenta aos domingos.

Muita gente me pergunta: "Pyero, você frequenta algum lugar religioso? O que você pensa sobre a igreja?"

Então, vou deixar aqui o que acredito e o que faço.

Acredito que a igreja se transformou em um comércio, mas não digo que todas as igrejas são assim. Há igrejas sérias, assim como na vida existem empresários sérios e outros que não podemos confiar. Na vida existem pessoas honestas, e outras que tentam nos iludir. Mas, quando falamos das coisas espirituais, tudo é muito mais forte.

Acredito ser muito importante que toda pessoa tenha uma cobertura espiritual, um lugar em que possa ir sozinha ou em família e se encher da atmosfera que está nesse lugar. É impossível você ir a uma igreja, onde o louvor e a palavra tocam o seu coração, e não sair de lá mais pleno, mais forte, cheio da graça de Jesus. Isso é inquestionável.

Mas como escolher o melhor lugar?

Escolho esse lugar com base na liderança que vejo, com base no líder daquele lugar. E me permito avaliar esse local fazendo a mim mesmo algumas perguntas:

- O líder é bem casado?
- O ministério é próspero?
- A terra é fértil?
- Ele trata bem sua esposa e filhos(as)?
- Qual o grau de sabedoria desse líder?

- Há projetos sociais envolvidos por trás?

- Qual a visão de futuro dessa liderança?

Aprendi que você vai receber neste lugar aquilo que estiver ao alcance daquela liderança. Por isso é importante saber as respostas dessas perguntas. E isso é algo muito sério!

O problema do homem é que ele está mais preocupado em julgar outro homem, que muitas vezes é um pastor, um padre ou um bispo, em vez de ir a esse lugar somente para agradecer e adorar a Deus.

Pare de olhar as falhas do homem, porque você também falha todos os dias. O único ser perfeito é Jesus.

Acredito também que todo homem precisa de um mentor espiritual para se encher, conversar e ter uma proteção de oração sobre a sua vida. Todo homem precisa de cobertura espiritual de oração, porque a nossa luta não é contra a carne e nem contra o sangue, e sim contra principados e potestades do reino celestial. E ponto final.

Então eu, Pyero, uma vez por semana, sempre que posso, vou a uma igreja me encher. Sim, eu faço isso, e é algo que não tem nada a ver com religião, e sim com a mentalidade de querer ter o meu espírito transbordando, e beber da fonte daquela atmosfera.

Imagine um lugar onde todos falam a mesma língua e buscam o mesmo ser que é Jesus. Sabe o que acontece? A atmosfera é criada, o céu se abre e seu espírito se enche. É só por isso que vou a um lugar assim. Porque quero me encher dessa atmosfera chamada Jesus!

Eu, Pyero, pratico o Método Sou todos os dias em minha casa, e uma vez na semana vou beber de uma nova fonte junto a centenas de pessoas. De forma livre, sem o peso da religião, sem olhar para o homem, sem esperar nada de ninguém. Vou somente porque tenho sede dessa atmosfera, e sei que é ela que muda o meu ser.

Muitas vezes as pessoas saem da igreja porque se magoam com o homem, porque criaram expectativas que estavam apenas na cabeça delas. Na verdade, elas deveriam estar ali apenas para olhar e adorar Jesus.

Quer um conselho de um mentor? Volte para este lugar onde a atmosfera só vai levar você para o alto.

TENHO UM PRESENTE ESPECIAL

— PARA VOCÊ!

Eu estou muito feliz por você ter chegado ao final deste livro junto comigo e quero te dar os parabéns por isso, pois você faz parte de uma minoria. Enquanto muitos foram desistindo ao longo do caminho, você percorreu essa jornada até o final. Essa é a atitude de uma pessoa que está determinada a viver o melhor de Deus em sua vida.

Por isso, resolvi fazer uma surpresa por ter chegado até aqui. Isso é o mínimo que eu poderia fazer para retribuir a sua companhia durante essa nossa jornada. Apresento a vocês a Comunidade FreeDOM:

COMUNIDADE FREEDOM

Esta é a comunidade que criei com o propósito de ensinar conhecimentos práticos e profundos sobre as cinco áreas em que eu mais me desenvolvi ao longo da minha jornada:

- ESPIRITUAL
- EMOCIONAL
- FINANCEIRA
- SAÚDE FÍSICA
- EMPREENDEDORISMO.

Na Comunidade FreeDOM, você vai aprender a desenvolver essas áreas na sua vida, de uma forma natural e que agrade a Deus. Jesus nos chamou para sermos livres, mas só é possível viver a verdadeira liberdade quando você tem abundância, tanto espiritual quanto material e intelectual.

Tenho certeza de que essa comunidade vai dar um impulso ainda maior na sua vida.

Se inscreva e assine para assistir a todos os conteúdos disponíveis na plataforma. Você terá a opção de fazer a sua assinatura mensal, ou não, você é totalmente livre para escolher. Caso faça sentido para você fazer sua assinatura mensal, será um prazer ter a sua companhia com a gente e vou ficar muito feliz em te ver lá.

Para ter acesso imediato, você só precisa pegar o seu smartphone e apontar a câmera para o QR Code da página anterior. Você será encaminhado para a página de cadastro. Preencha com seus dados e pronto.

Também quero deixar o convite para você participar das *lives* que eu faço diariamente no Instagram, às 6h02. Este é o meu convite para você começar o seu dia de forma abençoada, junto comigo.

Lembre-se de que a arma mais importante que existe no universo é a oração. Se ao chegar aqui você estiver convicto de que é capaz de se conectar com Deus, de forma simples e objetiva, abrindo de verdade o seu coração, nesse momento de oração, posso garantir que você irá se sentir mais confiante, mais amado, com uma força sobrenatural que lhe permitirá realizar tudo o que sonhou em sua vida.

Acesse o QR Code, faça seu cadastro e participe da Comunidade FreeDOM.

Deus está em tudo, e você estará de mãos dadas com ele, sempre que o convidar a assumir o controle de tudo, em sua caminhada.

Você não está sozinho, lembre-se. Você, criatura, quando decidir estar junto do seu Criador, você se tornará *um com Ele*. É o que acontece quando você acredita que Jesus morreu na cruz por mim e por você, e que ele vive, em toda a sua plenitude, hoje, ontem e sempre.

Tudo o que desejar de bom será alcançado se você orar todos os dias. Pratique o Método Sou, conecte-se com Jesus, e ele estará sempre ao seu lado, pois é o seu maior aliado neste mundo.

Quero ainda deixar um último recado. Falamos neste livro sobre o lado espiritual, que é o principal pilar do nosso método. No próximo livro, que logo será lançado, irei falar sobre *Prosperidade 10X,* mas de uma maneira que vai muito além do sentido material de ganhar dinheiro. Vou falar sobre como você pode conseguir abundância de verdade, poder e plenitude em sua vida, espalhando esses frutos a todas as pessoas com quem convive e suas próximas gerações.

Então estamos combinados: nos vemos nas nossas *lives*, nos meus treinamentos e no próximo livro sobre Prosperidade 10X!

Pratique o Método Sou, conecte-se com Jesus, e ele estará sempre ao seu lado, pois é seu maior aliado neste mundo.

Bem, a partir de agora, estamos juntos. E aqui estendo a minha mão para que você me acompanhe em todas as atividades do nosso grupo. Uma das mais importantes atividades são as *lives* que faço diariamente, de segunda a sexta-feira, às 6h02 da manhã. É uma ótima oportunidade para estreitarmos nossos caminhos e para você se conectar a Jesus, ficando por dentro de todas as novidades e orientações que entrego diariamente aos que me acompanham.

Então, estamos combinados: nos vemos nas nossas *lives*, nos meus treinamentos e no próximo livro sobre Prosperidade 10X!

Estou junto com você nessa jornada,
porque esta é a minha missão!

Acesse a lista de QR Codes disponibilizados ao longo do livro ou busque pelo ISBN e/ou título do livro no site da editora.

Site: inteligenciadoseculo.com/livro/
Visualize a playlist do autor e entre na comunidade FreeDom.

Modelo
de oração

Exercício
de meditação

Bônus

Tenho mais uma surpresa sobrenatural para apresentar à você:

Acesse e conheça meu aplicativo MEDITORANDO de oração e meditação. Baixe agora pela Apple Store ou Google Play Store.

Meditorando

Aviso:
Os conteúdos extras oferecidos nesta obra são de responsabilidade única e exclusiva do autor.

Bibliografia

Bíblia Sagrada: Nova Versão Transformadora [recurso eletrônico] / — 1. ed. - São Paulo: Mundo Cristão, 2016.

Projetos corporativos e edições personalizadas
dentro da sua estratégia de negócio. Já pensou nisso?

Coordenação de Eventos
Viviane Paiva
viviane@altabooks.com.br

Assistente Comercial
Fillipe Amorim
vendas.corporativas@altabooks.com.br

A Alta Books tem criado experiências incríveis no meio corporativo. Com a crescente implementação da educação corporativa nas empresas, o livro entra como uma importante fonte de conhecimento. Com atendimento personalizado, conseguimos identificar as principais necessidades, e criar uma seleção de livros que podem ser utilizados de diversas maneiras, como por exemplo, para fortalecer relacionamento com suas equipes/ seus clientes. Você já utilizou o livro para alguma ação estratégica na sua empresa?

Entre em contato com nosso time para entender melhor as possibilidades de personalização e incentivo ao desenvolvimento pessoal e profissional.

PUBLIQUE SEU LIVRO

Publique seu livro com a Alta Books. Para mais informações envie um e-mail para: autoria@altabooks.com.br

CONHEÇA OUTROS LIVROS DA ALTA BOOKS

Todas as imagens são meramente ilustrativas.

 /altabooks   /alta-books   /altabooks   /altabooks